新世紀のコミュニズムへ

資本主義の内からの脱出

大澤真幸 Ohsawa Masachi

NHK出版新書
652

新世紀のコミュニズムへ――資本主義の内からの脱出　目次

＊掲載のURLは二〇二一年三月現在のものです。

まえがき

本書は、新型コロナウイルスを超えて――パンデミックの渦中で、またパンデミックの後に――どのような社会を構想すべきか、そのような社会の実現のために何を克服しなくてはならないのか、ということについての私の考えを論じている。

社会秩序を大きく混乱させる破局的な出来事を私たちは何度も体験してきた。戦争、大地震等の自然災害、原発事故などの大規模事故、クーデター、テロ、革命……。いずれも大きな危機ではあったが、新型コロナウイルスのパンデミックは、少なくともひとつの点で、未曽有のことだったと言える。その空間的・社会的な広がりだ。世界大戦でさえも、厳密な意味では、世界中に同じようなスケールの破局をもたらしたわけではない。しかし、新型コロナのパンデミックは、文字通り、真に全地球的な規模のものだった。二〇一九年が閉じようとしているときに新しいウイルスが中国の武漢で発見されてからわずか数ヶ月で、感染は拡大し、地球上のすべての人がそのために警戒せざるをえないパンデミックになったのだ。

ほとんどの人は、感染症やウイルスについてごくわずかな知識しかもってはいない。そこで私たちは――政治家を含む私たちの全員は――まずは「専門家」に、新型コロナ禍にどう対処すべきかを尋ねた。この場合の「専門家」とは、疫学やウイルス学の研究者や感染症対策に関わってきた医療関係者という意味である。

しかし、すぐにひとつのことがはっきりしてきた。このパンデミックを通じて現れた危機は、疫学的な課題には尽きないということが、である。パンデミックは、健康問題だけではないのだ。パンデミックは、まずは私たちの経済をどのように維持するのか、という問題でもある。さらに、経済をその一部に含む社会生活全般の問題でもある。自由や民主主義をどのような意味で尊重し、維持するのかという政治システムの問題にも直結している。パンデミックを、気候変動を中核にすえた環境問題の一部として捉えなくてはならないことも明らかになった。また、パンデミックを通じて、命の価値という倫理の問題があらためて主題となった。それだけではない。多くの人が、隔離生活を送る中で、仕事の意味、生きることの意味といった人生の実存的な問いに直面した。要するに、新型コロナウイルスのパンデミックは、「すべて」に関わっている。「すべて」についての専門家などというものは存在しない。私たちの全員が考えねばならず、その結果を、行動として、とりわけ政治的な行動として現実化するしかない。今何が起きているのかほんとうのところはよくわからず、行動の結果がどうなるのか十分に明晰《めいせき》な見通しが立たないという不安の中で、である。それでもなお「専門家の知見を踏まえてから」などと言い続け、思考を停止し、決断を遅らせるとすれば、それは、責任転嫁であり、不安からの逃避である。

＊

　破局的な状況の中では、「現実」と「理想」の内容に関して、反転が生ずる。ここで、「現実／理想」という語を、現実主義者《リアリスト》が極端な理想主義者《アイデアリスト》を批判する際にこれらの語に込めた意味において、使用している。現実主義者は、理想主義者が、正義等の大義や自由・平等・博愛といった理念に執着し、それらが実現していない社会をことごとく「誤り」として拒否することに対して、そんな理想がかなえられている社会は不可能なユートピアだと批判する。不可能な理想を追い求めることは——たとえば暴力的なテロのようなものを正当化することにもなるので――たいへん危険で、多少の問題を抱えている現状を維持し続けるよりずっと悪いことだ、と。

しかし、新型コロナウイルスのパンデミックのような大きな危機の中では、「それだけがまさに可能な現実だ」と見なされていたことこそが実は不可能な理想、ありえないユートピアだったのではないか、と思えてくる。ここで唯一の可能な現実とされていたこととは、資本主義である。

フレドリック・ジェイムソンは、世界の終わりを想像するよりも資本主義の終わりを想像する方が難しいと述べている。二〇世紀の末期以降、かつては資本主義の超克を謳《うた》っていた左翼でさえも、資本主義を受け入れるようになった。だが実際には、コロナ禍の中で、各国政府は、さまざまなやり方で、資本主義の原則を一時的に停止した。たとえば、ベーシック・インカムを思わせるやり方で、国民に、かなりの金額を給付した。これは明らかに、資本主義の根幹となっている権利、私的所有権を侵害する政策である。

もちろん、こんなことが一度あったくらいでは、資本主義はひるまない。だが、もし新型コロナのパンデミックのような危機が、ときにはそれを上回る破壊的な出来事が、一〇〇年に一度ではなく、数年に一度のペースで生ずるようになったとしたらどうだろうか。

これは、悲観的な予想ではない。冒頭で私は、このパンデミックは人類にとって未曽有の規模の惨事だと述べたが、これに匹敵する規模の破局的なことが起きる頻度が急速に高まっていくと観測する十分な根拠がある。コロナ禍が、たまたま運悪く二〇一九年に始まったわけではなく、人新世《ひとしんせい》の環境変動の一環として生じている可能性が高い。そうだとすれば、今後も、これ以上の惨事が、繰り返し生ずるようになるだろう。

もしそうなれば、私たちが今唯一の可能な現実と見なしている資本主義の正常な継続こそ、不可能なこと、とうていかなわない理想状態ということになるのではあるまいか。逆に言えば、こういう状況の中で、真に現実主義者であるとは、資本主義を前提にしたときにはとうてい不可能なものとされていた「理想」を維持し続けることではないか。現実主義者であることの意味と理想主義者であることの意味とが、完全に逆転する。理想主義者としての精神を保つことこそ、真の現実主義者である。

*

本書は、以上のような立場から書かれている。各章の内容を、ごく簡単に紹介しておこう。

第1章でまず、新型コロナウイルスのパンデミックを、人新世というコンテクストの中に位置づける。こうした出来事に直面したとき、勝負は、この出来事からどれだけ多くを得るか、にかかっている。パンデミックは、コロナ問題だけではない。それ以上のものである。そのことをしかと自覚するためには、私たちが、パンデミックを人新世の先に待っている破局を予告する〈しるし〉として受け取ることができなくてはならない。そのような感受性をもつために、私たちにどのような態度が要求されるのか。最初の章ではこのことを考える。

第2章では、「連帯」という問題が論じられる。パンデミックを通じて誰もが学んだことは、国民国家を超えた、国民国家の主権を相対化する普遍的連帯が必要だ、ということだ。これは誰にでもすぐに理解できることだが、パンデミックを通じて生じていることは、実際にはまったく逆のことだ。つまり、国民国家の間の利己性がむしろ強化され、国民の中の、さらに地球的なレベルでの経済的な不平等がより顕著なものになっている。その結果、私たちは、パンデミックを通じて納得したことを現実のものにするような断固たる行動をとることができずにいる。何かがそれを阻《はば》んでいるのだ。それは何なのか。この章での議論を通じて、資本主義、とりわけ資本主義なるものを成り立たせている時間の意識が、その「何か」であることが示されるだろう。

第2章は政治の問題から入ったわけだが、第3章は、経済の問題から入る。コロナ禍において私たちが最も苦しんだのは、感染症対策と経済活動との間のトレードオフの関係である。ウイルスの危険を乗り越えるまでには――たとえばワクチンの普及等によって集団免疫が確立し、人類がウイルスと共存することができるようになるまでには――、何年もの時間がかかるので、私たちは経済活動を完全に犠牲にするわけにはいかない。感染症対策と一定レベルの経済的な豊かさの確保とは、「あれも、これも」の関係にあり、どちらも放棄できない。どうしたらよいのか。実のところ感染症への徹底した対策が貧困化を招くのは、私たちが資本主義の枠内にいるからであり、私的所有を大幅に相対化することができれば――言い換えれば主要ないくつかの財に関してコモンズ（共有）を導入できれば――、困難を克服できる。このことを、この章では示すだろう。

コロナ禍をその一部に含む、人新世の破局（気候変動問題）を克服するためには、脱成長経済でなくてはならない。成長は、資本主義の結果なので、結局、脱成長経済を実現するためにはコミュニズムである必要がある。ここまでは、斎藤幸平をはじめとする優れた理論家によって言われてきたことだ。問題は、資本主義の内からそのようなコミュニズムへ移行することが可能か、である。「内から」とは、資本主義の魅力の中心、資本主義を他のどのようなシステムよりもよいものに見せている要素、つまりは「自由」を放棄することなく、という意味である。もし自由が、自由以外の価値や理念を理由にして抑圧されなくてはならなくなるのだとすれば、資本主義を内から脱出することはできない。資本主義の内からの脱出は可能か。原理的には可能だ、ということを論じたのが第4章である。この点を真に納得するためには、資本主義とはほんとうのところ何か、ということを十分に見定める必要がある。

　ここまでの展開の中で、ひとつの方向が示される。それは、普遍的《ユニヴァーサル》なコミュニズムである。ここで「普遍的」は、「一国的」とか「地方的」とかに対する反対語として用いられている。普遍的なコミュニズムとは、国民国家のレベルを超えた連帯に裏打ちされたコミュニズムだ。コミュニズムにとって中核的な条件は、コモンズである。（少なくとも）何がコモンズであるべきなのか。こうした問題について考えているのが第5章である。あまり細々《こまごま》と、来るべきコミュニズムについて予想したり、計画したりすることは意味がない。いや、むしろ害の方が大きい。そのような予想は、結局、「現在」の想像力に縛られているからだ。細々とした予想は、現状のトレンドをもとにした外挿にしかならないので、かえって、大きな変革の足を引っ張ることになる。重要なのは、現在の「可能／不可能」の境界をなしている壁を突き破ることが可能だということを確信させる、最も基本的な方針である。

＊

もう一度、「理想」と「現実」という主題に回帰しておこう。実際のところは、事態を冷静かつ客観的に捉えるならば、コロナ禍を経験しただけで、本書で提起するようなコミュニズムが一挙に実現するわけではない。マルクスが「フランス革命の後」について述べたようなことが起きるだろう。マルクスは、革命の熱狂が過ぎてしまえば、人々が、約束されていた普遍的な自由の代わりに手に入れたものは、商売の自由や私的所有権（言わば労働者を搾取《さくしゅ》する自由）でしかなかったとして、そこにブルジョワ革命の限界を見た。革命とは違うが、コロナ禍についても同じようなことが起こるだろう。私たちは、危機の渦中にあっては、何か大きな社会の転換や考え方の変化の必要を強く実感するだろうが、終わってみれば、コミュニズムとはほど遠い、弥縫策《びほうさく》的な小さな改革がなされただけだ、ということになるだろう。さらに言えば、客観的な情勢がこのようなときに、強引に「理想」をとりにいく英雄主義は、支持も得られないし、現状維持よりも悲惨な結果を生む。

ここで書かれたことはすぐには実現されない。ここで予言めいたかたちで書かれたことは、大きく外れたとされるに違いない。にもかかわらず、私は、目指すべき――原理的には可能な――理想について書いておくことに意義があると考える。少なくとも危機を切迫したものとして感じていた渦中においては、それは可能なものとして見えていたということ、そのような見え方には十分に理論的な裏づけがあるということ、これらを示しておかなくてはならない。なぜか？　挫折し、満たされなかった願望を残すためである。

現在のコロナ禍やそれに引き続く危機の連続の中で、実際に生ずることは、おそらく、「コミュニズム」という観点からははるかに小さく妥協的な改革である。それらはある程度は成功するが、つまり目前の問題を暫定《ざんてい》的かつ部分的に解決するかもしれないが、危機や破局の最終的な乗り越えには至らないだろう。しかし、こうした穏健な改革――真の理想主義者から見れば不徹底な改革――の連続だけが、実際のコミュニズム的な社会構想を受け入れる態度を準備するに違いない。たとえば最初は、国民への一回だけの現金給付がなされるだろう。しかし、コロナ禍のような危機が長く続いたり、繰り返し生じたりすれば、給付は何度も繰り返され、だんだんと事実上のベーシック・インカムに近づいていく。しかし、普遍的なベーシック・インカムは、現在の税制度や資本主義体制のもとでは実行不可能だとされていた政策である。そうであるとすればやがて……。このようにひとつの政策に真に実効性をもたせるために、部分的な改革を繰り返していくと、その先には、事実上のコミュニズムが待っているに違いない。

だが、このように現実主義的で不徹底な改革の繰り返しが、結果として最終的に――理想主義者の観点からは――正しい、徹底した変革になるためには、真の理想が「満たされなかった願望」として残っていなくてはならない。満たされなかった願望を何とか実現しようとする反復として、個々の改革はなされていくからである。挫折した願望が、幽霊のように未来の改革者たちに取り憑《つ》き、彼らの現実主義的な改革の反復を理想主義的な変革へと漸近《ぜんきん》させていくのだ。

本書のねらいは、死んで幽霊になることにある。

第1章　人新世のコロナ禍

人新世

現在は、地質時代的には人新世Anthropoceneにあたる。このように主張する自然科学者は多い。人新世とは、人間の活動が、生態系の状態を決定する最も重要な要因となった時代という意味である。この概念は、実質的には一九三〇年代末期にはすでに現れており、「人新世」という用語も、一九六〇年代には使用されていたようだが、今日あらためてこの概念が注目されるようになったのは、大気を研究する化学者パウル・クルッツェンが二〇〇〇年に用いたことがきっかけとなっている。

いつから人新世になったのか。専門家によって判断は分かれている。人類が農耕・牧畜を始めた新石器革命以降、人新世に入ったとする見解もある。これはしかし、最も早くに人新世の端緒を見る説で、多くの学者は、産業革命から人新世が始まったと認定している。あるいは、さらに遅く、二〇世紀の後半、とりわけ「先進国」の多くの経済成長が著しかった一九六〇年代からが人新世であるとする者もいる。

ここで、人新世がいつからか、という主題に関わるつもりはない。いずれにせよ、われわれは今、この概念の説得力を、ごく一般的な生活人として日常的に実感できる時代を生きていることは確かである。始まりをどこに設定するにせよ、人新世なる概念が注目を集め普及したのは、われわれが日々の生活の中で、自らが人新世の渦中にいることを肌身で感じ、納得しているからである。われわれは異常とも言えるような多くの気象変動に立ち会っており、その原因が、自分たちの活動にあるのではないか、とほとんど確信に近いかたちで推測しているのだ。

　人新世を人新世たらしめている人間の活動とは何か。少し周囲を見渡しただけでも、その活動の痕跡はいくらでも見つかる。地表の大きな部分が、農地や道路や工場やその他の建造物等々の人工物によって埋められている。海洋や河川も、人間が残したものによって変質し、汚染されている。そして何よりも地球環境に圧倒的な影響を及ぼしている要因――人間の活動に起因する要因――は、二酸化炭素である。二酸化炭素に代表される温室効果ガスは、地表から放射される熱を吸収する働きがある。だから大気中の温室効果ガスの濃度が高まると、大気が温まる。

　ある程度の温室効果ガスは、人間が快適に暮らすために必要だ。しかし、今日、二酸化炭素の濃度が著しく高くなっている。産業革命以来、人間の経済活動の中で、大量の化石燃料（石炭・石油）が使われるようになったことが原因だと考えられている。大気中の二酸化炭素の濃度は、産業革命前と比べて、現在、四〇％以上、高くなっている。このレベルは、四〇〇万年前――鮮新世《せんしんせい》にあたる――とほぼ同じだという。鮮新世の地球の平均気温は、現在よりも二〜三度高い。ということは、その頃は、海面は、現在よりもずっと高かった――一〇〜二〇メートル高かった。

二酸化炭素濃度は、現在でも増え続けている。人新世の平均気温はさらに上昇するだろう。そうなれば、南極・北極の氷床が融け、海面が上昇することはもちろんだが、他にもさまざまな気象変動が起きるだろう。毎年のように――ときには毎月のように――更新される観測至上最大規模の記録をともなう異常気象は、こうした気象変動の一部かもしれない……と思われている。

人新世という概念は、だから、単に人間の活動が地球のあり方に影響を与えているということだけを含意しているわけではない。それは同時に、破局、地球の生態系の大規模な破局への予感をともなう概念である。気温の上昇を中心として、地球環境に急激な変化が生ずる。そうした変化にともなって、多くの生物種が絶滅するだろう――現に絶滅しつつある。それは、人類の生活にも多くの――大半はネガティヴな――影響を与える。いや、「ネガティヴ」などという表現では足りないかもしれない。つまり、人間の、類としての人間の生存すらも脅かされるかもしれない。少なくとも、人口を激減させるような破局的な結果は十分に予想できる。

人新世は、それゆえ、人間と自然との間に——一種の「因果応報」を思わせる——ある逆説を宿らせる。まずは、人間が自然を支配しているとも言えるような状況が生まれた時代こそ人新世であった。人間は、自然の中にあって、あまりにも強力で大きい。自然の基本的な状態は、人間の活動によって決まってしまうのだから。ところが、まさに人間による自然の支配の結果として、人間は自然からの反撃を受け、逆に自らの限界——自然に対したときの自身の限界——を思い知らされることになる。今度は、人間は自然に対してあまりにも小さく弱い。こうして、人間は自然に対してあまりにも強いがゆえに、逆に、自らが自然に対していかに弱いかを痛烈に自覚させられるようになった時代、これが人新世である。

破局の予兆としてのCOVID-19

さて、新型コロナウイルスのパンデミックもまた、人新世というコンテクストで考えるべき災禍のひとつである。たまたま運悪く、二〇一九年に新型のコロナウイルスが人間に感染し、二〇二〇年に全地球規模のパンデミックになったわけではない。このパンデミックは、われわれが人新世の中に深く踏み入っていることのひとつの結果である。

つまり、コロナ禍は、人新世に固有な危機のひとつである。人間が自然への支配を強めたことが――自然へと深く侵出したことが――、ウイルスのパンデミックに対して人間社会を脆弱《ぜいじゃく》にしたと考えられる。ロンドン大学の生命科学の専門家ケイト・ジョーンズは、野生動物から人間への病の感染は、人間の経済発展の隠れたコストである、と述べている[*1]。どんどん拡大していく需要に応じ、利益を得るために、人間は、たとえば森林を破壊し、農場を作ったりする。このように自然環境の奥に入れば、人間が野生動物のもつ未知のウイルスと接触する確率も高まってくる。

実際、コロナウイルスだけで、今世紀に入ってからすでに三種類も、人間社会に入ってきた。重症急性呼吸器症候群ＳＡＲＳ（二〇〇二年一一月～二〇〇三年七月）、中東呼吸器症候群ＭＥＲＳ（二〇一二年九月～）、そして新型コロナウイルス症候群ＣＯＶＩＤ‐19と。あまりにも高い頻度である。これは、だから、偶然ではない。われわれが人新世を生きていることのひとつの証拠である。

地球が温暖化すれば、氷床の中に封じ込められていたウイルスが解放され、動物や人間に感染することも考えられる。専門家はこのようにも指摘している。要するに、さまざまな原因から、人新世は、人間がウイルスに感染する確率が高まる時代である。われわれは今、新型コロナウイルスの感染の波状攻撃的な広がりを恐れているが、人間社会が備えなくてはならないウイルスは、新型コロナウイルスだけではない。今後次々と、新型の未知のウイルスや病原菌が登場し、人間社会に蔓延《まんえん》するかもしれない。われわれが今「一〇〇年に一度」の災厄だと思っていることが、もっとはるかに高い頻度で生じ、やがてほとんど常態になるかもしれない。一〇〇年に一度の台風や高潮に毎年見舞われるようになるのと同じように、である。

そうなれば――第3章であらためて検討するように――われわれが現在、新型コロナに対抗すべくとっている手段は、まったく通用しない。つまり、経済活動を停止し、互いに自らを隔離し合うという手段は、短期的にのみ有効な対策だ。新しいウイルスや病原菌が頻繁に襲ってくるような状況では、こうした手段は使えない。

さらに、コロナ禍は、意図せざる皮肉な結果をもたらしている。スタンフォード大学の地球科学者マーシャル・バークが述べていることだが、新型コロナのパンデミックが始まった後、中国の工場が二ヶ月間稼働を停止したおかげで、その間、空気の汚染もまた停止した。つまり、この間、地球の空気は、いつになくきれいだったのだ。そのおかげで、救われた——汚染した空気のもとでは死んでいたかもしれないのに死ななかった——命も大量にあった、とバークは推定している。[*2] 新型コロナウイルスで死亡した者もいるが、空気が清浄化したせいで死なずにすんだ者がいたのである。

こうしたことを考えれば、コロナ禍だけに対応しても不十分である。現下のウイルスの問題を、人新世の環境問題全体の中に置き、そうしたコンテクストで生ずる危機への対処の一環と見なさなくてはならない。人新世の危機とは何か。もちろん、それは、地球の生態系のトータルな破局である。人類を含む多くの生物種を絶命へと追いやることもありうる破局だ。コロナ禍は、そうした破局の予兆と解さなくてはならない。

キューブラー＝ロスの五段階

われわれは、人新世の先に予想されている破局に対して正しく対応しているだろうか。破局に対するわれわれの態度は適切だろうか。われわれはよい準備をしてきたと言えるだろうか。

このことを測るきわめて便利な指標がある。エリザベス・キューブラー＝ロスが『死ぬ瞬間』で提起した図式である。[*3] これによると、末期がんなど死が確実な病を得た患者が、最終的に死の事実を受け入れ、覚悟を定めるまでに、一般には五つの精神のステージを経る。

最初、患者は、その事実を単純に「否認」する。「そんなはずはない。そんなことが私の身に起こるはずがない」と。次いで、「怒り」の段階に入る。死の事実を否定できないことがわかると、人は、「どうしてまじめに生きてきた私がこんな不幸な目にあわなくてはならないのか」「あいつのせいで強いられた不摂生のせいでこんなことになってしまったのだ」等と怒る。続く第三のステージは「取引（バーゲニング）」と呼ばれる。人は運命と取引をするのだ。たとえば「せめてあの仕事が終わるまでは何とか生きていられないか」とか、「禁欲的な生活を送るから、何とかもう半年生きることができないか」とか、と考える。要するに、運命に少し譲歩して、何とか希望のもてる期間を引き延ばそうとしたり、小さな獲得物をもつことで、死という事実の意味をできるだけ小さくしようとする。しかし、これらがたいした効果がないあがきだとわかると、第四のステージ「抑鬱」に入る。これは、死は避けられないと知って、絶望し、意欲や活力を失ってしまう段階である。「私はどうせ死ぬんだ。何をやっても無駄だ」。

死が不可避であることを納得してしまったのだから、これでステージは尽きるように思われる。しかし、その先にもうひとつのステージ、第五のステージがある。キューブラー＝ロスが「受け入れ」と呼んだこのステージにおいて、人は、死に対してはじめて前向きになる。「死には抗えない。にもかかわらず、いやだからこそ、死に備えよう」と。ここで人は、ひとつ高い精神の境地に到達し、落ち着きを取り戻す。自分の死後のことをも真摯《しんし》に考え、そのための準備をするのもこの第五段階においてである。

すべての人がこれと同じステージを歩むわけではない。途中のステージで止まる者もいるし、ステージをいくつかスキップして歩む者もいる。この点を留意したうえで、キューブラー＝ロスは次のように述べている。この五段階の図式があてはまるのは、「死」だけではない。人生の中で人が経験する大きな破局や喪失に関して、それぞれの個人は、これと同じ形式の五段階の歩みで対応する。失業や解雇、恋愛の破綻や離婚、愛する人との離別・死別、等に対しても、同じような形式で人は対応する。

さらに、スラヴォイ・ジジェクが――またパブロ・セルヴィーニュとラファエル・スティーヴンスが『崩壊学』の中で――この図式のさらなる応用を提案している。この五段階の図式は、個人的な破局に対してだけではなく、社会が全体として経験する破局や崩壊に対しても適用できるのだ、と。[*4] この図式を使って、人新世の破局、生態学的危機を見たとき、われわれは、つまり現在の人類社会はどのステージにいるのだろうか。

破局に対する第五ステージ

人によっては、破局を単純に「否認」する。たとえば、超大型台風が到来しても、また大規模な山火事が頻発しても、それらを、温暖化による気象変動の産物とは見なさず、通常の気象パターンの変動のひとつと見るのがこれである。しかし、このような、トランプ前大統領的な態度は、少数派になりつつある。「怒り」を爆発させている人もいる。先進国の大企業が、これまでも、現在も、大量の化石燃料を使っているのがダメなのだ、等と。

生態学的破局に対する態度として、現在、主流になりつつあるのは、第三のステージの「取引（バーゲニング）」である。「持続可能な成長」を謳いながらなされている――なされようとしている――さまざまな対策は、これにあたる。小さいことでは、ゴミのリサイクルに努めるとか、あるいは、電気自動車を生産したり、できるだけ自然エネルギーに切り替えるなども、基本的にはこのステージに入る。こうした点で譲歩するから、後はこれまで通りの成長・発展を許してくれ、破局は先延ばしにしてくれ、というわけである。たとえば、二酸化炭素の排出量を、二〇三〇年までに（二〇一三年との比で）二六％減らすから、その代わり、持続可能な成長をいただきたい、と。第四段階の「抑鬱」のステージに入ってしまう者もいる。もうダメだ、もう手遅れだ、人類は滅亡するしかない……。

というわけで、人新世の未来に予想されている破局に対しては、四つのステージのすべての態度が見られる。しかし、第五ステージだけはない。死に対する前向きな態度に比せられるステージ、破局の不可避性を一方では認めつつ、取引的な妥協を超えた抜本的な変化を提案するようなステージは、まだ現実のかたちにはなってはいない。第五ステージとは、具体的には何を実践することなのか。何を目指すことなのか。

終わりの必然性と偶有性

この問いは、本書の全体を潜在的には貫いている。明示的な回答は、第4章で与えることになるだろう。ここでは、まずは確認しておきたいことがある。第五ステージには、きわめて奇妙な性格があるのだ。一方で、それは、死を、最終的な破局を、つまり終わりの必然性を認めている。しかし、他方で、このステージの人間は、「死」を、まるで新たな始まりのようにも見ているのである。その意味では、死はまるで、回避しうる偶有的なものであるかのように扱われてもいる。

五段階の全体の中で考えてみよう。最初の三つのステージはすべて、死（破局）の必然性を否定しようとしている。ただ、その否定の力は、だんだん弱まっており、第三ステージでは、そうとうな譲歩がなければ、否定できないというところにまで追い込まれる。そして、第四ステージで、死は避けがたい、完全な破局、完全な終わりは必然であるということが受け入れられる。そこからのシンプルな論理的帰結として、絶望が生ずる。

第五段階はどうなのか。確かに、それは第四段階を引き継ぎ、死（終わり）の必然性を認めている。第五段階は、第三段階までのステージへの後退ではない。しかし、それは、第四段階とは違って、死に対して積極的である。終わりが同時に始まりとしても現れているからである。その意味では、終わりは偶有的でもある。第五のステージにおいて、死（破局）は必然的であり、同時に偶有的でもある。このような総合は——矛盾したものの合致は——、いかにして可能なのか。この問いもまた銘記しておこう。

＊1　https://www.theguardian.com/environment/2020/mar/18/tip-of-the-iceberg-is-our-destruction-of-nature-responsible-for-covid-19-aoe

＊2 https://www.dailymail.co.uk/sciencetech/article-8121515/Global-air-pollution-levels-plummet-amid-coronavirus-pandemic.html

＊3 エリザベス・キューブラー＝ロス『死ぬ瞬間——死とその過程について（改版）』鈴木晶訳、中公文庫、二〇二〇年。

＊4 スラヴォイ・ジジェク『パンデミック——世界をゆるがした新型コロナウイルス』中林敦子訳、斎藤幸平監修・解説、ele-king books、二〇二〇年、四一—四五頁。パブロ・セルヴィーニュ、ラファエル・スティーヴンス『崩壊学』鳥取絹子訳、草思社、二〇一九年、10章。

第2章 普遍的連帯の(不)可能性

1　簡単に理解できることなのに……

普遍的連帯の必要

誰もが理解できるごく簡単なことなのに、なぜか実行に移されないことがある。新型コロナウイルス感染症への対抗策に関してもそれが言える。このウイルスに対処するためには、どうしても、地球的なレベルでの普遍的連帯が必要になる。たとえば、国民国家の主権を相対化するようなかたちで対策を打ち、国民国家を超えた協調体制を築き、そして医療資源をはじめとする必要な物資や人材を、人類全体を視野において効率的かつ公平に配分する機構が必要になる。あるいは、階級的差別を超えた——つまり十分に平等な——健康保険のシステムや社会保障の制度が必要になる。こうしたことは、誰でもわかることだ。しかし、実際には、普遍的連帯への動きはほとんど起きてはいない。むしろ、それに逆行することが起きている。

どうしてだろうか。どうして、簡単にわかることとは逆のことが起きるのだろうか。われわれは今まで、ずいぶんたくさんの愚かな政治家を見てきたし、今も世界各地にそういう政治家がいるのを見てはいるわけだが、最も愚かな政治家でも、現在のコロナ対策として絶対に必要なのは、普遍的な連帯であることを理解できるだろう。だが、実際には、逆のことが起きつつあるのは、どうしてなのか。

目下のところ、コロナ対策としてなされたこと、なされつつあること、あるいは今後もなされるだろうと推測されることの中心は、さまざまなレベルでの人間の移動の制限と封じ込めである。人々の外出を制限したり、都市をロックダウンしたり、といった手法だ。そうした封じ込めの最上位のレベルが、国境を越える移動の制限、つまり、外国からの渡航を制限し、さらに禁止する、という手法である。封じ込めの最大範囲が領土国家になり、かつその他のレベルの封じ込めを決定するのも各国政府なのは、現状の政治システムを前提にしたときには、仕方がないことである。主権が最終的に国民国家に帰属しているからだ。

しかし新型コロナウイルス感染症の流行に関しては、ほんとうは、一国だけでは解決できないことを誰もが知っている。というより「一国だけの解決」ということ自体がナンセンスである。仮に自国の感染者の数が減少し、ゼロに近づいても、他国で感染症の流行が止まっていなければ、それは自国にとってさえも解決ではない。地球上のどこかに、感染者がいれば、ウイルスがいつ自国に再び入ってくるかわからないからだ。そもそも、他国に感染者がいる間は、十分な経済活動も移動をともなう交流も不可能で、われわれは本来の繁栄を取り戻すことはできない。要するに、「一国だけ」であれば、それは未だ解決ではないのだ。

新型コロナへの対応を通じて、各国政府はこのことを十分に思い知ったはずだ。国家間だけではなく、国家内でも同じような問題がある。たとえば、家庭に閉じこもっていることを要請したり、強制したりしても、そんなことが不可能な貧しい労働者たちがいる。社会的な必要としても、また自らの生きる糧《かて》を得るためにも、外で働かなくてはならない労働者たち――エッセンシャル・ワーカーと呼ばれる労働者たち――がいる。仮に、裕福な者たちの外出を制限して、彼らをウイルスの感染から守っても、貧しい者たちの間に感染者がいれば、問題は解決していない。富裕層にとってさえも、問題は真に解決してはいない。ウイルスが、いつ階級の壁を破って入ってくるかわからないからだ。簡単に言えば、ウイルスのパンデミックを解決するためには、貧困のパンデミックの解決が要求される。

新型コロナウイルスのパンデミックを通じて、われわれは皆――とりわけ各国のリーダーや政治家たちは――、こうしたことを痛感したはずだ。とすれば、次に起きることは何か。当面は、もちろん「手持ちの札」を用いた応急的な対応があったとしても、その後になされることは何か。たとえば、それは国連の改組や権限強化を通じた――あるいはその下部組織としてのＷＨＯの改組を通じた――、世界共和国への動きであるべきではないか。あるいは、国民国家の範囲を超えた大規模で平等な健康保険システムの提案であるはずではないか。かつて、リスク社会論を唱えた社会学者ウルリヒ・ベックは、リスクが国境を越えるときこそ、国境を超えた連帯が生まれるチャンスになるだろう、と論じた。今こそまさにそのチャンスではないか。「人新世」の現在ならば、なおさらそうである。

実際に起きていること

だが、われわれが実際に目の当たりにしていることは、当然予想されるこうした動きとは正反対のことである。新型コロナウイルスへの対策を通じて、もともとからあった階級間の貧富の格差が、これまでになく露骨なかたちで現れた。ウイルスによる死亡率も、また収入を減らしたり、失業したりした者の比率も貧困層の方が圧倒的に高い。つまり、コロナ禍を通じて、格差は拡大しつつある。

あるいは、それぞれの国家の剝《む》き出しの利己主義の方が前面に出ており、国家の間の葛藤はコロナ以前よりもはるかに深まっている。とりわけ顕著なのは、二つの大国、アメリカと中国である。

たとえば、トランプ大統領（当時）は、ヨーロッパに感染症が広がり始めたとき、予告も通知もなしに、イギリスを除くヨーロッパからの渡航を禁止した。これは、アメリカが、伝統的に最も親密だった友人に対して、「もうお前と一切協力するつもりはない！」と大声で叫んだようなものだ。そして、アメリカと中国の争いはまことに露骨で、双方ともに協力への意志を微塵《みじん》も見せてはいない。もともと、貿易や諜報活動などをめぐって米中の間には葛藤があったが、新型コロナウイルス感染症が世界規模で広がった後は、葛藤はより深刻なものになった。両国は、互いにパンデミックの発生に対して責任を押しつけ合ったり、コロナ後の世界の覇権を目指して戦略的に行動したり、とまことに下劣な争いをしている。

国を横断した協力や連帯が実現するためには、一般には、どこか少なくとも一国が、自国の利益を抑制しつつ、リーダーシップをとらないと難しい。実際、トランプ大統領の登場より前には、感染症の大規模な流行等の問題が起きたとき、それに対応する国際協力のリーダー役を担ったのは、常にアメリカだった。しかし、地球的な規模のコロナ禍の最中にWHOからの脱退を決めてしまうようなアメリカに、コロナ後の活躍を期待することはできない。

大統領がトランプからバイデンに代わったことで、アメリカは、トランプ在任中よりは国際協調の姿勢を示すことになるだろうが——たとえば就任早々パリ協定に復帰するなどの協調的な態度をとることになるだろうが——、しかし、もはやアメリカをリーダーとするような広い国際協力の体制は築かれることはあるまい。なぜなら、大統領が誰であろうが、現代の地球社会の最大の亀裂、米中の葛藤は残るからである。そして何より、アメリカがときにトランプのような人物を大統領として選ぶことがありうること、選挙に敗れたとはいえ多くのアメリカ人がトランプを——しかも熱烈に——支持したこと、その中には、バイデンが勝利した大統領選挙そのものの正統性を認めず、バイデンを「われわれの大統領」として受け入れていない者が少なからず含まれていること（二〇二一年一月には、トランプ支持派の議会襲撃事件が起きた）、これらのことを世界中の人々が知ってしまった以上、もはやアメリカが他国から無条件に信頼されることはありそうもないからだ。

中国の戦略的利他性

では、中国はどうか。中国がアメリカに代わって国際的なリーダーになりうるか。確かに、中国は、アメリカよりは巧みにふるまっている。中国は新型コロナウイルス感染症の発生地ではあったが、感染の抑制に比較的早く成功した後は、いわゆる「マスク外交」や「ワクチン外交」によって、パンデミックの渦中にある諸国に、医療スタッフを含む医療資源を送ったり、自国製のワクチンを供与したりして、感染症の拡大を抑制しようと欲するそれらの国々の活動を支援し、一定の信頼を勝ちえたからだ。

とはいえ、これによって、中国を中核にした大規模な国際協力のシステムが確立されることになるかと言えば、そのように期待することはできない。むしろ逆であろう。中国のこうした行動は、覇権の獲得を目指した、それ自体「自国ファースト」的な行動と受け取られているからだ。また、中国は「権威主義的な国家」と見なされており、グローバルに支持されている「普遍的価値」に準拠しておらず、少なくとも民主主義国が中国の指導に従うことはありえないからだ。[*1] 中国がいかにマスク外交やワクチン外交に力を入れても、誰も、中国が自国の利益をときに超えて利他的にふるまうこともあるとは期待していない。中国の戦略的な利他性は、むしろ、逆に、米中の葛藤を深めるように作用している。

述べてきたように、一国だけではパンデミックを克服できないことをすべての政府は痛感しているので、国際協調の動きもないわけではない。その中でも最も大規模なのは、欧州議会が、コロナ危機対策として、「復興基金」を含む経済再建策を決議したことであろう。この決議が画期的なのは、必要な資金を、ＥＵ共通の債務として――つまり国ごとではなくＥＵ全体の借金として――調達したことである。これまでＥＵは、ユーロのような共通通貨をもちながら、財政は各国ごとだったため、豊かな国から貧しい国への支援は、前者の合意を必要とし、しばしば十分にはなされなかった。基金がＥＵ全体の債務であるならば、諸国家間の利害の対立を超えることができる。とはいえ、これには限界がある。復興基金は、コロナ危機対策の暫定措置なので、このような財政統合が、恒久化するかどうかはわからない[*2]。そして、何より、これはＥＵの枠内のことであって、ＥＵを超えた世界共和国への動きとはとうてい見なしがたい。

　したがって、まとめれば、コロナ禍の中で目立っているのは、階級的な格差の拡大と利己主義を剝き出しにした国民国家の間の葛藤である。誰もが、階級的な格差を克服する平等性や国民国家の範囲を超えた普遍的連帯の必要をこれまでになくはっきりと自覚しているまさにそのとき、主として起きていることは、これとはまったく逆行することなのだ。

今、実際に起きていることの先に起きるかもしれないことに関して、最悪のシナリオを描いたとしたら、何が導かれるか。アメリカと中国の対立を基軸とする第三次世界大戦であろう。新冷戦どころか、むしろ熱戦すら起こりうる。実際、著名な歴史学者ニーアル・ファーガソンは、最も悲観的なシナリオとして第三次世界大戦がある、と述べている[*3]。

連続する二つの世界大戦

世界大戦が起きるかもしれないという予測は、悲観的に過ぎる、と言われるかもしれない。しかし、コロナ禍の経験を通じて世界共和国への歩みが始まるだろう、という予想よりは現実的である。世界共和国の必要性は、誰もが認識した。しかし、実際に起きそうなことは、どちらかと言えば、世界大戦である。奇妙なことではないか。

それにしても、嫌な予感がする。この逆説にははっきりとした前例があるからだ。第一次世界大戦を経験した後、人々は戦争そのものを悪だと考えるようになり（それ以前は、ヨーロッパでは戦争は可能な政治手段のひとつとして認められていた）、永続する平和を確立したいと願ったはずだ。そのことをよく示しているのが、戦後、国際連盟が結成されたという事実である。しかし――永続的な平和どころか――、第一次世界大戦からそれほど時をおかずして、第二次世界大戦が勃発した。しかも、第二次世界大戦の原因、ドイツが戦争に踏み切った原因のひとつは、まさに第一次世界大戦の戦後処理の失敗にあった。永続的な平和を望みつつ実行した処理が、逆に、第二次世界大戦を招いたのである。

似たようなことが現在のパンデミックの後にも起きないだろうか。人々は、普遍的連帯の必要はしっかりと認識したはずだ。その認識のもとでなされた行動が、しかし、連帯どころか戦争や次なる破局を招くことにはならないか。これは、ヘーゲルが「理性の狡智《こうち》」と呼んだ歴史のアイロニーの一種である。人々は、破局の処理に必ず失敗する。ヘーゲル風に言えば、破局の概念化から逃れる残余がある。その残余が、次の真の破局への道を開いてしまい、あたかも理性のずる賢い罠にはまったかのようなことが起こる[*4]。

ともあれ、ここで考えてみたい。国境を超える連帯の必要性、階級的な格差を解消する平等性の必要性が理解されているまさにそのとき、逆に、世界大戦すらも招きかねない国家間の葛藤が生じ、同時に富んだ者がますます富み、貧しい者がますます貧しくなるような格差もかえって拡大してしまうのはどうしてなのか。

2　倫理的な洗練の極と野蛮の極

国民国家こそが

　だが先に確認しておきたいことがある。パンデミックを通じて、人々は、国民国家の範囲を上限とするような連帯によっては、問題は解決できない、ということを深く理解したはずだ、と述べてきた。しかし、連帯の単位が国民国家にある限りは問題に対応できない、という構造は、新型コロナウイルスのパンデミックに限られたことではない。実のところ、重要な課題、つまり今後一〇〇年単位の人類の幸福や繁栄を左右するような重要な課題は、ことごとく国民国家のレベルでは解決できない。地球環境問題も、核問題も、経済的な不平等の問題も、あるいはインターネット上の知的所有権や個人情報の保護の問題も、さらにはヒトゲノムの管理などの生命倫理の問題もすべて、国民国家の力では解決できない。

　それどころか、これらの問題を深刻なものにしている原因こそ、人々にとって国民国家が第一義的な忠誠心の対象になっている、という事実である。たとえば、気候変動をめぐるパリ協定から、トランプ大統領（当時）のアメリカが離脱を通告したのは、国益を、つまりアメリカの企業の利益を優先させたからである。[5] 富の格差は、もし地球上の全人口に対して、所得や資産についての累進的な税を課すことができればまちがいなく縮小するのだが、各国が、自国への投資を有利なものになるように税制度を決定すれば、逆に格差が大きくなる。要するに、国民国家こそが、最大の障害である。

洗練の極＝野蛮の極

こうなることには、つまり「国民国家の内部には強い連帯があるが、国民国家の間には競争かあるいは暫定的な利害の一致しかないという状況のもとでは、国民国家の存在が問題を深刻にするばかりだ」ということには、強い論理的な必然性がある。このような状況のもとでは、道徳的に最も完成されているということと、逆に最も野蛮なこととが逆説的に合致してしまうのだ。つまり道徳的に洗練されればされるほど、逆にますます暴力的で野蛮になる、という逆説が生じうるのだ。このような逆説を、一七世紀の哲学者トマス・ホッブズの理論から導くことができる。

ホッブズは、社会契約論の祖の一人であり、彼の著した『リヴァイアサン』は、現代の社会学や政治学でもしばしば引用される。[6]

ホッブズはこの本の中で、国家がどのような論理で形成されるのかを論じている。ホッブズによれば、本来、人は自分自身の利益、自分自身の生存を目指している。ある個人の利益や生存は、必ずしも別の個人の利益や生存とは両立しないので、人々の間には闘争が生ずる。場合によっては相手を殺そうとするような闘争が、である。これが自然状態（最も原始的な状態）であり、「万人の万人に対する闘争」として描かれる。この血で血を洗う悲惨を克服するために、人々は一致して自分の自然権（自己の生存のために何をやってもよいという権利）を放棄し、これを、「リヴァイアサン」（旧約聖書に出てくる怪物）に喩《たと》えられる国家に委《ゆだ》ねる。こうして、社会的な秩序が生まれることになる。皆の生存、すべての人の共存のために、自己の自然権を放棄した状態が、ホッブズの観点では、道徳的に完成された状態になる。

ホッブズは、一国しかないような世界について考えている。しかし、ホッブズの述べたことを、国民国家と国民国家が相互に国益を追求する競争状態において捉えるとどうなるのか、考えてみよう。国民国家の利益のために、私欲を捨てて献身的に努力する人物は、最もよく教育された人であり、道徳的な完成度が高いと評価されるだろう。しかし、この同じ人の行動を国民国家と国民国家の間の関係の中に置いてみたらどうなるのか。この人物の自己犠牲的な行動は、特定の国民国家の生存だけを目指す行動――他国の生存や繁栄を否定することも辞さない行動――である。つまり、特定の国家にとって最も英雄的で崇高な行動が、国家間の関係の中で見れば、ホッブズの自然状態（野蛮な状態）における闘争行動として現れる。

たとえば、北朝鮮で核兵器の開発に努めた技術者について考えてみよう。この技術者は、北朝鮮にとっては英雄だが、国際関係の中では、野蛮な戦争の準備に関与していることになる。国民国家の間の競争というコンテクストの中では、最も優れた人、最も道徳的に洗練された人こそが、最も野蛮な人になる、という逆説は避けられない。

国民国家の争いと資本の争い

このような逆説があるがために、今日、すべての深刻な社会問題に関して、国民国家のレベルでの連帯は、逆に、問題を悪化させるように作用する。それなのに、未だに、人々が最も重視する大義は、国民国家のレベルでの利益や善である。どうしてなのかと言えば、破局はまだ先のことだと思われているからだ。切迫しているようにも感じられてはいるが、しかし、破局はまだ訪れてはいない。たとえば、地球の温暖化によって、どこかの国が水没するのはもう少し先のことだ。そうだとすれば、破局はやってこないかもしれないではないか。そのように思う余地が残っているがために、国民国家の枠を超えた連帯はなかなか生まれない。

付け加えておけば、民主主義が国民国家の範囲で営まれているとき、政治指導者は、将来起きるかもしれない破局の回避のために断固たる行動を起こすことができない傾向がある。そんなことをやっても、忍耐を強いられる現在の国民の人気は得られないからだ。将来、破局的なことが起きなかったとしても、それが、その政治家のとった対策のおかげなのか、それとも、もともと何もしなくても破局など生じなかったのか区別がつかないので、その政治家が後になって称えられることもない。

だが、コロナ危機に関しては、事情は異なる。破局はもう来てしまっているからだ。われわれは今まさに、パンデミックが引き起こす破局のただ中にいる。そうだとすれば、国民国家の範囲の狭い連帯を超えた、人類レベルの普遍的な連帯への歩みは、今すぐに始まるはず……なのだが、実際に起きていること、そこから予想されるありそうな展開は逆に、国民国家の利己主義の昂進である。どうしてなのか、これがわれわれの疑問だった。

本来ならば、次のようなことが起きるべき時だ。まず、前述した通り、今ある国際組織、たとえばＷＨＯとか国連とかの改組と権限強化がすぐに始まるべきだろう。そして、一〇〇年後に振り返ったとき、二〇二一年は世界共和国への胎動の生じた年だった、と思うことになる。……われわれが、コロナのパンデミックを通じて理解したことにすなおに応じれば、実際にはこうなるはずだ。しかし、理解に関してはこれほど簡単なことが、行動においてはまことに困難だ。行動を阻んでいる究極の原因は何であろうか。

　ところで、さらに、もうひとつ確認しておかなくてはならない大事なことがある。国民国家はなぜ争うのか。現在の国民国家は、何をめぐって競争しているのか。かつての冷戦の時代とは異なり、国家たちはイデオロギーを理由に争っているわけではない。国民国家の間の競争もまた、主として資本主義に従属している。つまり、企業だけではなく、国民国家もまた、資本主義的な競争に参加しているのだ。国民国家は主として、自国の資本にとって有利になるように、つまり自国の資本がより多くの利益を生むために戦っている。各国が、露骨に自国ファーストでふるまうのも、競争の目的が、資本主義的な衝動に基づいているからだ。もしイデオロギーの方が重要だったら、自国ファーストの利己主義に徹することはできなかっただろう。これらを再確認したうえで、考察を前に進めよう。

3　イエスの墓の前で

孤立による連帯？

パンデミックに対抗するためには、際限のない連帯、普遍的連帯が必要だ、と述べてきた。そのような理想的な極点にまで行かないとしても、暫定的に短期間、感染の広がりを抑え、犠牲者の数を減らそうとするためには、あるレベルでの連帯が必要になる。コミュニティの範囲の、あるいは国民国家の範囲の連帯が、である。

ところで、その連帯は、きわめて逆説的で、極端に人間の自然に反しているところに特徴がある。大半の人にとって――医療関係者やエッセンシャル・ワーカー以外のほとんどの人にとって――、感染症が猖獗《しょうけつ》をきわめている最も過酷なときに、共同体への連帯を示すということは、具体的な行動としては、（共同体のメンバーであり仲間でもある）他者たちから自分の身体をできるだけ隔離すること、他者たちの身体との接触を最小化することを意味しているからだ。一般には、人間は、他者へ近づくこと、その身体に触れること――触れるほどに接近すること――を通じて、その他者と親密になり、極大の利他性を発揮する。

しかし、新型コロナウイルス感染症に関しては逆である。他者から離れていること、それこそが、他者への思いやりなのであり、利他的な行動でもあるのだ。

　一般には関係を絶つための行動によってこそ、他者への連帯を示すこと。こんなことは可能なのか。とりわけ、その連帯が、極大の連帯、無際限に類の全体にまで及ばねばならないような普遍的な連帯だとしたら。

「私に触れるな」

　ともかく、現在、われわれは、新型コロナウイルスへの対応策として——つまり自分の感染の予防と他者に感染させない配慮をともなった行動として——、繰り返し、他者との接触を避けよ、と言われている。他者と物理的に接触することこそが、他者に危害を及ぼす最悪の行動である、と。すると、新約聖書を読んできた者は、ほとんど条件反射のように、ひとつの句を連想せずにはいられないはずだ。「ノリ・メ・タンゲレ Noli me tangere」[*7]。「ヨハネによる福音書」二〇章一七節にある、イエスの一言である（ラテン語訳）[*8]。

　イエスが十字架の上で絶命した後の週明けの初めの日、マグダラのマリアが、空っぽになったイエスの墓の前で泣いていると、白衣の御使《みつか》いが現れる。その白衣の御使いとの短

図2–1　ノリ・メ・タンゲレ（アレクサンドル・アンドレイェヴィチ・イワノフ、1858年、ロシア美術館蔵）

いやりとりの後、マリアが後ろを振り返ると、そこに一人の男がいる。彼女は最初、彼がイエスであるとは思わない。しかし、マリアは、「何を泣いているのか。誰を求めているのか」というこの男からの問いに答えた後、その男から「マリアム」と呼びかけられたときに気づいたのだろう。彼女は、「ラブニ（先生）」と応じている。そしてマリアは——聖書には明示的に記述されてはいないがおそらく——イエスにすがりつこうとした。それに対してイエスが言ったのが、「ノリ・メ・タンゲレ」である。「私に触れるな」という意味だ。この命令は、復活のイエスが最初に発した言葉として、キリスト教徒たちの間で重視され、何人もの画家によって描かれてきた（図2-1）。

イエスが言ったことは、偶然にも、今日、ウイルスの感染に苦しむ人間に与えられている、基本的な注意事項と合致している。イエスのマリアへのこの命令を、他の福音書を含むコンテクストの中で、そしてまたイエスの活動の全体の中で解釈し、評価すると、そこから、普遍的連帯ということの可能性に関して、暗示を得ることができる。ポジティヴな暗示と、逆に批判的な示唆との両方を導くことができるのだ。

「今ここ」ではなく「ガリラヤ」へ

なぜ、イエスはマリアにこのようなことを言ったのか。この言葉が真に意味していることとは何か。この何でもない一言が、福音書の記者に、そしてまた後世のキリスト者たちに、永続的な印象を残したのはどうしてなのか。

イエスのこの言葉を記録しているのは、四福音書の中で、「ヨハネ」だけである。共観福音書と呼ばれる他の三つの福音書の中には、「ノリ・メ・タンゲレ」は出てこない。では、これに対応する出来事は何か。「マルコ」「マタイ」「ルカ」のそれぞれ微妙に異なってはいるが、骨格は以下の通りである。

　マグダラのマリアは、やはり墓に行くが、イエスに会うことはない。イエスの死体は不在だが、もはやイエスはマリアの前に現れない。代わりに、白い服だか、直視できないほどに輝いた服だかを着た男、あるいは天使がいて、マリアにメッセージを伝える。そのメッセージは、「マルコによる福音書」ではこうである。「彼は甦《よみがえ》った。ここには居ない。見よ、ここが納められていた場所だ。(中略)彼は、(中略)あなた方を先立ち導いてガリラヤへと行く。そこで彼に会えるだろう」(田川建三訳、「マルコ」一六章、六〜七節[*9])。

　このメッセージの含意は、こうである。まず、「今ここ」でのイエスの現前が否定される。そうではなくて「ガリラヤ」にいると言われるわけだが、ガリラヤという固有の土地にこだわる必要はない。ガリラヤは、「今ここ」を否定するために導入されている。したがって、このメッセージは、キリストの身体の「今ここ」での現前を否定し、それを「常にすでに別のところ(あそこ)」での存在へと転換しているのだ。それゆえ、ここで、キリストの身体の局在が、その遍在へと変換されている。

　白い服をまとった御使い、または男がこのようなメッセージを伝えたという話が、「ヨハネによる福音書」では、イエス自身が「ノリ・メ・タンゲレ」と言ったという話に置き換わっていることになる。ということは、二つの話は、交換可能であり、それゆえ等価だということになるのではあるまいか。したがって、「ノリ・メ・タンゲレ」は、こう読むべきである。触れられうる対象という限りでのイエスの身体を否定することが、キリストの身体をより強力な存在へと、つまり遍在へと転換するのだ、と。このキリストの身体の遍在性は、キリストの唱えた隣人愛の普遍性のひとつの表現である。

このように解釈できるとすると、これは、現在のわれわれにとってよい報《しら》せである。これからわれわれは、「ノリ・メ・タンゲレ」と常に言われながら生きてゆく。この禁止は、社会関係のほぼ全体を貫く基本的なルールとなる。もし、「ノリ・メ・タンゲレ」に従うことが、普遍的な意味をもつ神の存在を保証するならば、そしてこれが、普遍的な愛の実現をも準備するものであるならば、われわれは、「新しい生活様式」に希望をもつことができる。

確かに、私は「今ここ」であなたに触れることはできない。あなたは、「ガリラヤ（どこか別のところ）」にいる。これこそが、われわれの間の愛のひとつの結晶した姿であるとすればどうであろうか。実際、われわれが、十分に物理的な距離をとるのは、触れ合うことが不可能なほどの距離を置くのは、互いに相手を気遣ってのことである。「ノリ・メ・タンゲレ」は、「隣人愛」への通路だとすれば、これは、その宗教的な表現が隣人愛になるような政治共同体の連帯にとっての基礎になりうるのではないか。

触れることによる奇蹟

だが、ここで話は終わらない。復活したキリストの最初の一言が「私に触れるな」であることが衝撃的なのは、実のところ、それとは正反対のこと、つまり「（身体に）触れる」ということこそが、イエスの活動の根幹にあるからだ。[*10]

イエスは、神の国というユートピアはもう手に届くところにある、と言う。そのことを実感させるのは、イエスが実行する数々の奇蹟である。奇蹟の中心にあるのは病気の治癒のための活動である。治療のほとんどが、イエスが触れること、つまりイエスの身体に触れること、ただそれだけのことによって成し遂げられる。たとえば次のように。

> そして彼のもとに一人の癩病人〔引用者注：ハンセン病患者のかつての呼称〕が来る。彼に頼んで、膝まづき、言う、「もしもお望みなら、あなたは私を清めることがおできになります」。彼は怒って、手をのばしてその男にさわり、言う、「望む。清められよ」。

そしてすぐに、癩はその男を離れ、その男は清められた。（「マルコ」一章、四〇～四二節、田川訳）

触れること、触れられること、触れ合うことは、イエスの実践の根幹である。そのことを通じて、神の国なるユートピアがすでにほぼ手中にあることを、人は実感する。だから、イエスはこう言う。「もしも私が神の指によって悪霊どもを追い出しているのなら、それなら、神の国はすでにあなた方のところに到来したのだ」（「ルカ」一一章、二〇節、田川訳[*11]）。「ノリ・メ・タンゲレ」は、こうした背景を前提にして解釈しなくてはならない。

確かに、磔刑死《たっけいし》の後の復活に際して、イエスは言う。もはや私に触れる必要はない、触れてはならない、と。触れなくても——というより触れえないことによって——、神の遍在は保証されよう。しかし、それが可能なのは、その前に、触れる体験、触れ合う体験があったからだ。「触れないこと」が絶大な効果を発揮するのは、「触れること」に先立たれ、基礎づけられているからである。

すると今度は、われわれは、悲観的にならざるをえない。孤立し、互いに触れないということを原則にしたとき、そこから十分に包括的な連帯を導き出すことは不可能なのではあるまいか。こんな逆説はそもそも不可能なことだったのではないか。

4　動物としての人間の生

生への権力

以上は、宗教的なテクストの解釈から導かれる暗示である。問題を、現代の社会や政治に適用可能な社会科学的概念で捉え直してみよう。新型コロナウイルスのパンデミックに対して各国の政府がとっている対応はさまざまだ。しかし、それらは全体として、典型的で極端な「生政治 bio-politique」の一種と見なすことができる。

生政治はミシェル・フーコーが創出した概念である。もちろん、フーコーの議論の前提にあるのは、西洋の政治史である。前近代の伝統的な権力は、殺す権力、死への権力だった。つまり、支配者が従属者を殺すとき、あるいは殺す可能性を示唆するときに権力が発動された。しかし、フーコーによると、近代の権力は、逆に、生への権力、生かしめる権力である。伝統的な権力は、臣民の生には関心がなかった。臣民を、単に生きるに任せていた。それに対して、近代的な権力は、住民の生に関心を向ける。それは、住民の生や健康をこそ第一義的な配慮の対象とする。このような権力、人口の管理調整に関わるこの近代の権力のことを、フーコーは「生権力」と読んだ。生権力に基づく政治が生政治である。[12]

　生政治の概念をフーコーから継承し、洗練させたのがジョルジョ・アガンベンである。[13]アガンベンは、生政治において主題化されている「生」の性格をはっきりさせた。

　たとえばアリストテレスは『政治学』の中で、共同体の目的に関連して、「生活のために生じてくるのであるが、しかし、善き生活のために存在するのである」と述べている。[14]ここで二種類の「生（生活）」が暗に前提になっている。ひとつは、単に動物として生きているということを意味する生で、これはギリシア語で「ゾーエー」と呼ばれていた。ゾーエーとは要するに、単純な生としての生、剝き出しの生である。それに対して、もうひとつの人間的な様式をもった生、善き生を意味しているギリシア語は「ビオス」である。アリストテレスの一節が示しているように、ポリスの公共性、つまり政治が目標にしていたのは、本来は「ビオス」、つまり善き生、徳をもった生であった。[15]それに対して、近代においては、住民のゾーエーとしての生を確保することを目標とする政治が確立する。それが生政治である。

このように解説すれば、感染症対策としてなされていたことが、究極の生政治である、ということの意味も明らかだろう。ウイルスに感染しないように、あるいはウイルスを感染させないように外出を制限せよ、という要請や命令は、動物としての生の確保だけを目的としている。生の質、つまりビオスはまったく問題にされてはいない。外出制限やロックダウンは、極論すれば、家畜を檻《おり》に閉じ込めるのと同じである。

ホッブズ理論の生政治的解釈

アガンベンは、イタリア政府がパンデミックに対してとった、緊急事態的な措置を批判した短い文章の中で、次のような趣旨のことを述べている[*16]。剝き出しの生（ゾーエー）の確保だけが目標であるような政治は、人間同士の関係や連帯に対しては、必然的に破壊的に作用する、と。このことは、実際にコロナ対策として実践されていることを思えば、容易に理解できる。「ノリ・メ・タンゲレ」、つまり人と人との身体的な接触を極小化するように求めることは——コミュニケーションをできるだけインターネットを媒介にしたものに限定するよう要求することは——、関係を構築したり、強化したりするようには作用しない。逆に、人間の間の関係に対して消極的であれ——可能ならば回避せよ——と訴えていることになる。

ただし、純粋に理論的に言うならば、生政治が必然的に人々を個人化したり、孤立させたりするわけではない。生政治に立脚した集団化ということはありうる。実際、生政治の中心は、住民をその集合性において――つまり「人口」という形式で――主題化することにある。また「剝き出しの生」を媒介にした共同性もありうる。実際、「自分の命だけではなく、大切な人の命を守るため」という趣旨で、自分の身体を隔離するとき、人は、まさに「動物としての生」を根拠にして配慮し合い、団結していることになる。

第2節で見たホッブズの理論は、それぞれの個人が自分の動物としての生をどこまでも追求している状態を自然状態として措定《そてい》するところから始めていた。このような理論は、今日振り返ってみると、生政治的な観念の初期の表現だったと見ることができる。ホッブズの社会契約論は、剝き出しの生を至高の目標とする個人たちの集合が、いかにして、秩序を形成し、一個の国家としての連帯を確保するのかを説明しようとしたものだ、と解釈することができる。

「遺伝子」という準拠点

一七世紀のホッブズの理論は、今日、われわれが「生命」について知っていることを思えば、素朴な前提に立っている、ということになるだろう。彼は、進化論も遺伝子のこともまったく知らずに考えていた。ここに現代の生物学の知見を導入したらどうだろうか。その場合、動物としての生とは、究極的には——個人の生ではなく——遺伝子の生ということになるだろう。そうすると——現実の生政治ということではなく——生政治という概念の中に含まれていることを、論理的に純化して理念型を作ったとすれば、そのような生政治は、遺伝子たちの存続を第一義的な目標とするものになるはずだ。[*17]

もし、生政治の最終的な準拠点が「遺伝子」にあるとするならば、そこから次のことが言える。第一に、生政治は、必ずしも個人の利己性や孤立を推進するものではない。遺伝子こそが、進化における「利己的目的」の単位であるということは、逆に言えば、動物としての個人は必ずしも利己的ではない、ということをこそ含意しているからである。[*18]

しかし、第二に、厳密に生物学的な観点を加えても、アガンベンの述べたこと、つまり生政治は人間関係や連帯にとっては最終的には負の効果をもたらすという認定は正しいということになる。進化が利己的な遺伝子たちの間の競争として描きうるということは、ときに遺伝子たちの間に協調的な関係が築かれたとしても、普遍的な連帯を意味するような（個人間の）協調関係の極点にまでは決して至りえない、ということをも同時に含意しているからだ。

要するに、動物としての生を「遺伝子」の水準で理解したとき、論理的に純化された生政治は、決して、人類の普遍的連帯を基礎づけることはない。逆に、生政治は、個人の間ではないにせよ、個人の集合（人口）のどこかの範囲に利己性の単位を設定する。現状では、生政治が標的としている単位は――遺伝子の原理から直接説明できるわけではないが――、国民国家である。いずれにせよ、遺伝子を根拠にする限りは、生政治が、いずれかの限定された範囲を連帯のユニットとすることを、一般的に批判することは不可能だ（そのうえ、遺伝子にとって都合のよい連帯の範囲は国民国家よりもはるかに狭い）。

さて、そうだとすると、これが回答なのか。普遍的な連帯が必要なときに、逆に、利己的な争いがよりいっそう露骨なものとして前面に現れるのはどうしてなのか、という疑問に対する究極の回答は、現代の生政治が必然的にもたざるをえない基本的条件にこそ求められるのだろうか。われわれの集合行動が、生政治の論理に最終的には――そして無意識のうちに――規定されていることが、普遍的な連帯を不可能にしている、ということなのか。

生政治への民主的な支持？

もしそうだとすると、次のように言わざるをえない。それでもなお、普遍的連帯の必要を唱えるのだとすると、われわれは、生政治を超える原理や価値に依拠しなくてはならない。つまり、「動物としての生」よりももっと高い価値があるとして、それに根拠を求めることで、生政治的な政策を批判しなくてはならない。「ゾーエー」を超える「ビオス」を、つまり「剝き出しの生」を超える「善き生」を見出さなくてはならない。

実際、そのような試みによって、生政治に、とりわけ新型コロナウイルスへの生政治的な対策に反抗しようとしている者もいる。それは、次のような主張である。「ただ動物として生きていても仕方がない。私には、もっと大事なXがある。Xのために死んだとしてもかまわない」。このXの位置に、その人にとって（生そのものよりも）善い何かが入る。それは、何かの「仕事」であったり、「観劇」であったり、「ライブハウスで音楽を楽しむこと」であったり、「パチンコ」であったり、「美食」であったり……する。

しかし、現在のパンデミックを通じて、われわれは学んだ。多くの人の生命が脅かされているような危機的な状況においては、このＸの位置に何が入ったとしても、十分な共感も賛同も得られないということを、である。通常の状況ならば、Ｘに任意のことを代入することができる。「オレにとっては音楽がすべてだ。ライブハウスで歌って踊れないのならば、生きていても意味がない」等と。しかし、ほんとうに生きることが脅かされるような例外状況のもとで、同じことを主張しても、広い共感は得られない。どうやら、われわれは、ほんとうには「動物としての生」を超える普遍的な価値があるとは思っていないらしい。生政治は、民主的に支持されているようだ。諸個人の「ゾーエー」は至高の権利であって、他のどんな人権も——移動の自由も営業の自由も集会の自由も……——そのためであったらときに放棄してもかまわない、と人々は考えているようだ。

そうすると——繰り返せば——ひとつの結論が不可避になる。生（ゾーエー）が準拠点であるならば、人類の全体に広がりをもつような普遍的連帯は不可能である、と。今日のような状況にあっても、普遍的連帯へと向かうような動きがごくわずかしか現れない最終的な原因、岩盤のように動かない原因は、われわれが生政治の枠組みの中で行動しているからだ。このように結論されるのか。

ダンバー数を圧倒的に超えて

だが、ほんとうにそうだろうか。以上の論理には、なお問題がある。どこにあるのか。「動物としての人間」の生を究極の目的としたときに、連帯の普遍的な広がりは必然的に阻まれることになる、というつながりに、である。動物である限りでの人間の生が何を指向しているのかということが、すべて直接に、利己的な遺伝子の論理――遺伝子のテレオノミー[19]（擬似目的論）――から導き出されるのだとすれば、以上の推論には問題がない。しかし、動物としての人間の生には、遺伝子のテレオノミーに直接には規定されない媒介が入っている。

ここでまちがってはならない。人間は、他の動物とは異なって、遺伝子の論理では説明できない「理念」や「価値」や「精神」や「理性」をもっている、と言っているのではない。要するに、動物性とは区別された、人間的な超越性がある――ハンナ・アーレントの言うような「人間の条件」がある――、と言いたいのではない。人間の動物的な生の中に、遺伝子のテレオノミーには直接には還元できないアスペクトがある、と言いたいのだ。この点を厳密に証明するには、この場はふさわしくない。[20]ここでは、どうしてそのように考えるのか、直観できる程度の手がかりだけを簡単に説明しておこう。

そのために、霊長類研究者たちの間で広く支持されている社会脳仮説を紹介する。霊長類は、一般に集団を形成する。ロビン・ダンバーによると、脳の大きさ（厳密には、大脳新皮質の大きさ）と社会集団の規模の間には、非常にきれいな定量的関係が――正の相関関係が――ある。要するに、進化の一本の系列に着眼したとき、脳が大きい種ほど大きな集団を形成して暮らす傾向がある。それぞれの種に標準的な集団の規模（個体数）をダンバー数と呼ぶ。ダンバーが提案している関数を用いて計算すると、チンパンジーの集団のサイズ、つまりダンバー数はおよそ五〇になる。それは、実際に観察されているチンパンジーの群れの大きさとほぼ一致している。

それでは、ホモ・サピエンスのダンバー数はいくつなのか。計算すると一五〇になる。これは、かなり納得のいく数字である。一五〇人のスケールは、人間の社会生活の基本をなしている。たとえば、狩猟採集民のクラン（氏族）の平均規模がまさにそのくらいである。新石器時代の村落の平均規模も一五〇人強だ。古代ローマから近代に至るまで、独立して行動する歩兵隊の平均サイズも一五〇人。一人がクリスマスカードや年賀状を送る数も、一〇〇〜一五〇程度になる。ＳＮＳでも、つながりの強い人の数は一〇〇〜二〇〇の間に入るという。このように、一五〇人規模の共同性は、人間という動物にとって非常に自然なものである。それは、チンパンジーにとって、五〇個体程度の群れが自然であるのと同じ意味で自然だ。つまり、ダンバー数一五〇は、遺伝子のテレオノミーから指定される、人間にとって適当な集団のサイズだと考えられる。

しかし、同時に、誰でも知っているように、人間の共同体の規模については、他の動物の群れにはない性質がある。約一五〇は、人間の共同体にとって、決して絶対的な限界ではないのだ。人間の共同体は、一五〇人の規模を超えて広がってきたし、現在も広がっている。たとえば「国民（ネーション）」という共同体を考えてみよう。どんなに小さい国民でも、一五〇人をはるかに超えており、最大の国民は、一〇億人よりも大きい。こうした事実からわれわれが学んだことは、人間の共同体の大きさには限界がないらしい、ということである。潜在的には、どんなに大きな共同体であっても、人間は、それを「私たち」と見なすことができる。たとえば一〇〇億を超えると、もはや「私たち」というアイデンティティを確立できなくなる、などということはない。限界があるとすれば、それは、地表の物理的な広さであって、人間の共同性へのポテンシャルではない。

類的存在としての人間

このことから、人間の社会には、特殊な問題が生ずる。一方では、共同体の規模の無限性へと至る通路が潜在的には開かれている。しかし、他方では、現実の人間の共同体、つまり互いに連帯し、秩序を形成しうる集団のサイズは、常に有限である。潜在的には無限で人類の全体を包括しうるのに、実際には、この有限な共同体が「私たち」である。そのため、有限な「私たち」の範囲の線引きには恣意的な特殊性、根拠のない偶有性が宿っているという感覚を、共同体のメンバーはもたざるをえない。

無限性——ということは人間の類としての普遍性——は、人間にとって不可避の（必然的な）指向目標となると同時に、現実には常に不可能である。このことが人間には、ひとつの「問題」としてたち現れることになる。それぞれの集団が帯びる特殊性（メンバーの制限やメンバーシップの条件）は、普遍性との関係で常に偶有的なものとして現れざるをえないのだ。こんなことは、他の動物、他の霊長類の種では問題にはならない。人間の集団は、普遍性との関係で、自分たちの偶有性や恣意的な特殊性を自覚しないわけにはいかない。

フォイエルバッハやマルクスは、人間のことを「類的存在」と呼んだわけだが、この言葉を、ここで述べたことにパラフレーズして継承してもよいかもしれない。人間とは、「人類」という普遍性が常に問題になるような種である、と。たとえば、チンパンジーには、「チンパンジー類」という問題は存在しない。誰と誰が同じ群れのメンバーで、どこまでが自分たちの縄張り（遊動域）かということは、チンパンジーにとっても重要な問題で、正確に認知しているはずだが、他のチンパンジーの群れを含む「チンパンジー類」というアイデンティティは、彼らにとっては存在しない。チンパンジーは類的存在ではない。

ここでは詳しく説明しないが、以上のごとき人間の固有性から、どのような人間集団も「習慣（ハビトゥス）」を有する理由を説明することができる。習慣とは、集団が伝統的に継承してきた恣意的な規範のことである。習慣の大半は気まぐれで、なぜそうしなくてはならないのか、当人たちにもよくわからない。習慣には常に、合理的・機能的な理由に尽くされない恣意的な余剰部分が宿っているのだ。このような意味での習慣は、他の動物の集団には存在しない[*21]。

結論だけ述べておけば、習慣とは、人間という類の普遍性が、人間の集団の内部に再参入したことによって生じた現象である。再参入とは、あるものXとその外部（Xの否定）との間の差異が自己言及的にXの内部に書き込まれた状態を指す、特異な数学者ジョージ・スペンサー＝ブラウンの用語である[*22]。習慣が真に主題化しようとしていることは、人間の社会一般とその外部（社会的紐帯《ちゅうたい》の完全な崩壊、無秩序、連帯の完全な欠如）との区別である。この区別、類的な普遍性をその外部から隔てる境界線は、しかし、直接には対象化できず、それは、人間の社会の内的な差異――ある特定の集団とその外部とを分ける差異――としてのみ顕在化され、意識的に措定される。これが習慣である。

ここで確保しておきたい論点は、以下のことだ。動物としての人間の「生」に準拠したときには、普遍的な連帯が不可能になる――常に特殊に限定された連帯だけが目標になる、というアガンベンの認定はまちがっている。動物としての人間の生には、共同体の範囲を類的な普遍性へと拡大していくポテンシャルが備わっている。そうだとすると、類的な連帯、普遍的な連帯ということが緊急に求められている現在の危機の中で、それにもかかわらず、国民国家の利己的な行動が突出し、階級の格差が拡大しているのはなぜなのか、という問題に対しては、「生政治」は答えにはならない。障害は別のところにあると考えなくてはならない。

5　禁欲の資本主義

GDPと株価の矛盾

　コロナ禍の中、奇妙なことが進行している。まずは当然のことから。コロナ禍によって、経済成長は止まった——というより激しくマイナス成長に転じた。二〇二〇年のGDPの成長率は、大きくマイナスになるだろう、とIMF（国際通貨基金）は推計している。二〇二一年一月時点でIMFは、二〇二〇年のGDP成長率に関して、**表2-1**のように推計している。

　主要国の中で、プラス成長が推計されているのは中国のみ（二・三％）である。コロナ禍においては、失業率も高い。とりわけアメリカの失業率は、著しく高い。これらのことに関しては、驚きはなかろう。感染症対策として、経済活動の大半を停止したのだから、当然のことだ。

　奇妙なことはその先である。なぜか株価が下がっていないのだ。むしろ、上がっている。株価も、パンデミックがヨーロッパやアメリカに広がり始めた当初の段階、つまり二〇二〇年三月には暴落した。しかし、その後、V字回復している（図2―2）。

二〇二〇年末の時点で、ダウ工業株三〇種平均は、一年前の水準を、つまりコロナによるパンデミックが始まる前の水準を超えている。ナスダック指数はもっと極端だ。やはり、

表2–1　2020年のGDP成長率（IMF、2021年1月時点）

世界全体	−3.5%	イギリス	−10.0%
アメリカ	−3.4%	日本	−5.1%
ユーロ圏	−7.2%	インド	−8.0%
ドイツ	−5.4%	ロシア	−3.6%
スペイン	−11.1%	ブラジル	−4.5%
中国	2.3%		

https://www.imf.org/ja/Publications/WEO/Issues/2021/01/26/2021-world-economic-outlook-update

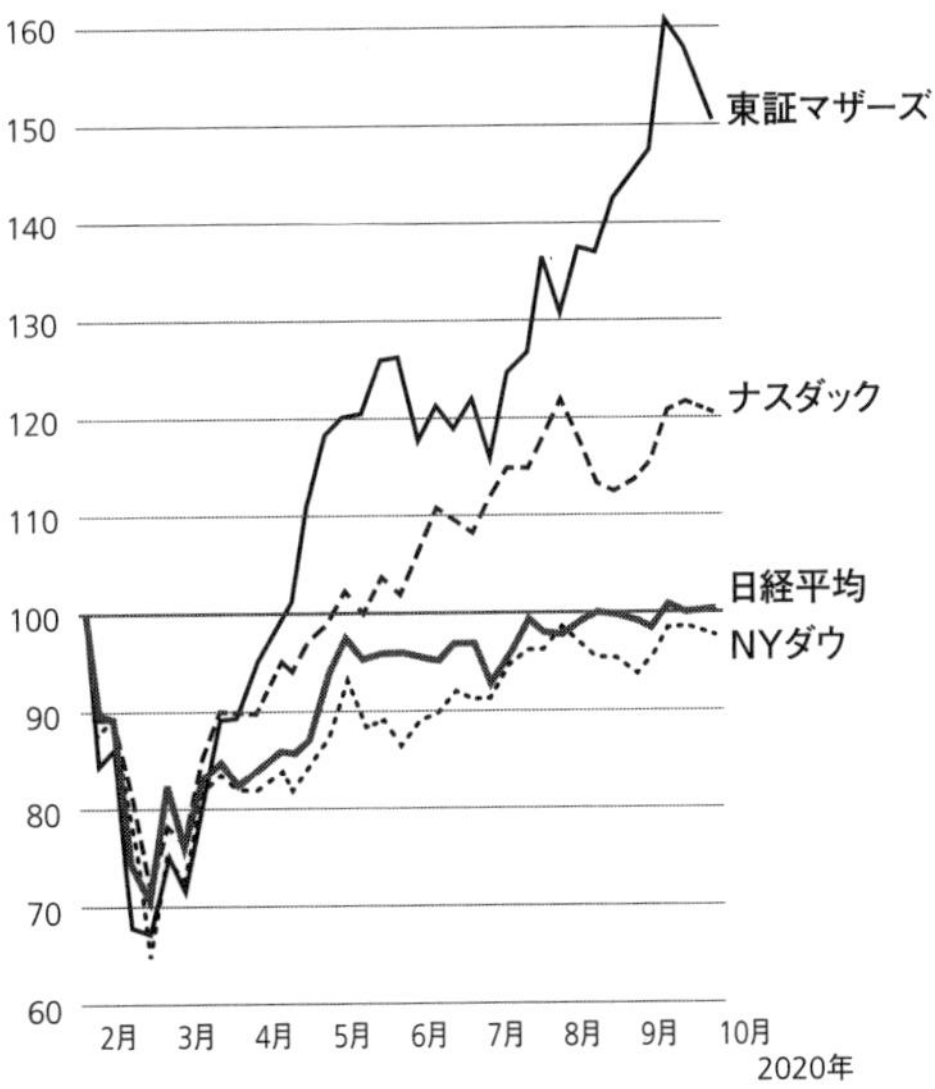

図2–2　株価は好調?
（楽天証券経済研究所作成グラフより作成）

三月には一時的に急落するが、V字回復以上の反発を見せ、夏には、コロナによる株価の一時的な暴落の前よりも一〇％以上高くなり、その後も上昇を続けた。二〇二〇年末には、コロナ前の最高値よりも三〇％以上高くなっていた。アメリカの株価だけではない。日本の株価の推移も、これらとまったく同じ軌跡をたどっている。すなわち、日経平均株価指数も東証マザーズも、二月から三月にかけて一時的に急落するが、その後、V字回復して、二〇二〇年のうちに、コロナ前の水準を大きく超え、二〇二一年二月にはバブル時の高値に追いついた。

　GDPは下がり、失業者も増え、多くの人が収入を減らして、消費も冷え込んでいるのだから、経済は基本的には悪化しているはずだ。しかし、その経済の状態の指標であるはずの株価が上がっている。どうしてなのか。

　コロナ危機による経済の破綻は、二〇〇八年のリーマンショックのときよりもダメージがはるかに大きい。リーマンショックの影響がはっきりと出た二〇〇九年の世界全体のGDPの成長率はマイナス〇・一％である。二〇二〇年の落ち込み（マイナス三・五％）の方がはるかに大きい。コロナ危機による破綻は、一九二九年の大恐慌のとき以来の、いやそれ以上の損失であったと言われている。

図2–3　リーマンショックによる株価の乱高下（Tech Now!をもとに作成）
https://blogk.com/category/%e6%94%bf%e6%b2%bb%e7%b5%8c%e6%b8%88/page/2

しかし、リーマンショックのときも、また大恐慌のときも、破局はとりわけ株価の暴落と長期にわたる低迷というかたちで現れていた。リーマンショックのときには、日経平均株価が、ショック前の水準に戻るまでに、四年半の時間がかかっている。その間、株価はずっと低いままで、なかなかもとの水準にまで回復しなかった（図2―3）。さらに大恐慌のときには、はるかにひどかった。ダウ工業平均株価が、一九二九年の水準に戻ったのは、第二次世界大戦が終わり、さらに九年が過ぎてからのこと、つまり一九五四年である。株価は、なんと四半世紀も、恐慌前の価格に戻ることができなかったのである。

ところが、現在のコロナ危機においては、株価は堅調以上である。パンデミックは終わっていない。しかし、株価はパンデミック前よりもすでに高い。株価は——一瞬の暴落を除けば——、パンデミックなど存在していないかのように推移している。[*23] もちろん業種によっては（たとえば航空関係）、株価も大きく下がってはいるが、全体としては、述べてきたように、株は下がってはいない。このことは、コロナ危機が、リーマンショックや大恐慌よりはまだマシということを意味しているのだろうか。ＧＤＰは下がっても、株は上がっているのだから、少しはよかった、と考えるべきなのか。

『サイコ』のように

そうではない。逆である。株価が当然下がるべきときに上がるということは、単純に株価が下がるよりも悪い。もちろん、株価が上がる直接の原因は、日銀を含む各国の中央銀行の極端な金融緩和にあることは明らかだが、株式というものの本来の性格を思えば（それは会社の事業のための出資の一形態ではないか、どうして会社の活動が全体として縮小しているのに株価だけが上がるのか）、あるいは金融緩和の目的を思えば（どうして投資も消費も活発にならずに、しかも貧困に苦しんでいる人がたくさんいるのに、金が余っているのか）、この状況はどう見ても倒錯している。実のところ、株価の上昇は、集合的で徹底した「否認」のメカニズムが働いていることを示しているのだ。[*24] 何が否認されているのか。破局の事実が、である。何の破局か。資本主義そのものの破局である。

これは、沈没することが確実になった船に乗っている者が、その事実を否認し、船の中に留まるときの心理と同じである。資本主義という船が沈みかけているように見える。しかし、ほんとうに資本主義そのものが破綻したら、そのことによる犠牲はあまりにも大きすぎる。このとき否認が生ずる。「資本主義は普通に働いている、という想定で行動しよう」と。こうして、実体経済の裏づけなしに、株が普通に売買されることになる。

この状況は、ヒッチコック監督の映画『サイコ』を連想させる。自動車で移動する旅の途中で若いOLマリオンが消息を断つ。その恋人サムとマリオンの妹ライラの探索によって、マリオンは、途中で立ち寄ったモーテルの経営者であるノーマンという青年に殺されたことがわかる。映画の結末で、犯人ノーマンについて、殺人の動機にも関わる次のような真実が判明する。ノーマンは、母親の死を、断固として拒否し続けていたのだ、と。彼は、愛人をつくって自分を裏切った母親を許せず、愛人もろとも殺害してしまったにもかかわらず、母がすでに死んでいる、という事実をずっと否認しようとしてきたのだ。そこで、彼は、母親が生きているという想定で行動した。だが、母親はすでにいないのにどうしたのか。ノーマンはずっと一人二役で、ノーマン自身と母親とを演じてきたのだ。ノーマンがマリオンを殺したのは、「ノーマン」がマリオンに対して恋情を抱いたことに関して、（ノーマンの中のもう一人の人格である）「母親」が激しく嫉妬したことによる。

今、株式市場で起きていることは、これに似ている。市場は、資本主義が瀕死《ひんし》であることをどうしても直視することができずにいるのだ。市場は、ノーマンと同様に、資本主義（ノーマンの母親に相当）は生きて、まだ元気にしている、という想定で行動しているのである[*25]。

株が上がっているという事実、とりわけコロナ禍が最も過酷だったアメリカの株が上がっているという事実は、それゆえ、ある徹底した執着を示している。資本主義への執着である。資本主義を手放すことができない、と。

世俗内禁欲のメカニズム

資本主義はしばしば、貪欲《どんよく》と享楽のシステムだと考えられている。しかし、これは、資本主義に対する根本的な誤解である。資本主義の特徴は、むしろ禁欲であり、享受の断念だ。利益を得たとして、その分をすべて消費してしまえば、資本主義では勝者になることはできない。獲得された利益はあらためて投資されなくてはならず、十全な享受、完全な満足は、そのたびに先延ばしにされなくてはならない。資本主義は、このような行動様式を身につけた者だけが生き延びられるシステムである。

マックス・ヴェーバーは、この点に着眼し、資本主義の精神の根幹に「世俗内禁欲」を見た。ヴェーバーがこのような語彙を用いたのは、資本主義の中で求められる禁欲が、通常の活動の中で求められる一般的ながまんの域をはるかに超えているからだ。それは、宗教性を帯びている。ヴァルター・ベンヤミンは、ヴェーバーよりさらに率直に、「宗教としての資本主義」と題した短い試論の中で、同じ行動を、「礼拝」だと記している。[*26]

資本主義のもとでたとえば資本家は、獲得した貨幣を、自分の消費や楽しみのために、決して（すべて）使ってはならない。なぜなら、その貨幣は、さらなる投資に回されるからである。なぜ、さらに投資しなくてはならないのか。もっと多くの貨幣を得るために、である。永遠に消費や楽しみに使われることがない貨幣を無限に蓄積するために、投資を反復すること。これが資本主義に固有の行動である。

だが、これは実に奇妙で倒錯的な行動だ。何のための貨幣の蓄積なのか――永遠にそれを使い尽くす時が引き延ばされているとすれば——、まったくわからなくなってしまっているからだ。どうしてこんなことが可能なのか。なぜこんな行動様式が広く普及したのか。ヴェーバーの著名な研究は、この疑問に答えるものだったと解釈することができる。[27] その研究によれば、世俗内禁欲をもたらしているのは、プロテスタンティズム——とりわけカルヴァン派において最も純粋に姿を現す予定説——である。

予定説とは、最後の審判において誰が救済され、誰が呪われるかは最初から神によって決定されており、誰もそれを変更することはできない、とする教義だ。誰が救済されるかは、その時に——つまり終末の時に——ならないと、絶対にわからない。こうした設定の中で、信者は、自らが救済に予定されている側にある、ということを（無根拠に）前提にして行動する。その行動が結果的に、世俗内禁欲となる。

したがって、次のように言うことができる。プロテスタントの自己犠牲的な禁欲は、純粋なものとは言えない。なぜなら、現在の禁欲、現在の犠牲は、来るべき終末の日の救済によって取り戻され、報われることになっているからだ。もっとも、実際には、終末はいつまでもやってこない。したがって、結果的には、禁欲と自己犠牲は純粋なものになっている。しかし、いずれにせよ、終末において救済されるという想定なしには、現在の満足をどこまでも放棄する禁欲は生じない。

この予定説の構成を世俗に転用したものが、資本主義に固有な行動である。それは次のような意味だ。終末（の救済）に対応するのが、投資されたものが利潤をともなって回収されるときである。自らが市場に送り出した商品が売れ、利潤をもたらしたとき、その出来事は、宗教的な救済としての意味を帯びることになる。プロテスタントが、終末における救済を前提にして禁欲するように、資本家は、後にやってくる利潤のために、現在を犠牲にし、十全な満足を先送りする。

本来の予定説と異なるのは、資本主義においては、終末が無限に繰り返されることである。すなわち、利潤が獲得されるやすぐに、それは、より後にやってくる真の終末のための手段に転ずる。かくして、再び投資がなされる。予定説を信ずるプロテスタントにとって、生きている限りは、終末はやってこない。資本家にとっても、真の終末は、結局、やってこない。なぜかというと、終末が到来すること――投資を回収すること――が、そのまま、終末を、さらなる未来に措定することを意味しているからだ。結局、実際には決して到達しない終末での報酬（救済）を前提にして、現在の満足が犠牲にされ続ける、という構成は、資本家の場合も、プロテスタントの場合も同様である。禁欲と投資を継続させるためには、しかし、「終末における救済」が確実にあるという前提が、絶対的に不可欠である。

新商品と廃棄物のような

資本主義は、階級という格差を必要とする。以上の議論から、この命題を導くことができる。市場は競争の場なので、成功する人と失敗する人、勝つ人と負ける人がいる、という単純な事実が階級をもたらしているのではない。階級なるものをもたらす究極の原因は、資本主義がキリスト教（プロテスタンティズム）から継承した「救済」の構図にある。

資本主義というシステムに参加している者は皆、ここに述べてきたように、自らが救済されることを――具体的には利潤を得て裕福になることを――前提として先取りしつつ行動する。しかし、救済は定義上、一部の選ばれた者の救済である。全員が救済されるならば、それはもはや救済ではない。誰もが神の国に招じ入れられるならば、神の国に何の意味があろうか。

予定説的な終末論の構成が機能するためには――そうした終末論の世俗化されたヴァージョンが実効性をもつためには――、だから、資本主義というシステムは確実に、ごく一部の人が救済され、大半の人が救われていないようだ、ということを人々に得心させなくてはならない。利潤（剰余価値）をわがものにし、救済される側に入るのがブルジョワジーであり、搾取され、呪われる側に組み入れられるのがプロレタリアートである。すべての人を、未来における救済へと誘惑するためには、一部の人だけが救われる階級的な格差を維持しなくてはならない。プロレタリアートは、禁欲と自己犠牲だけを実行し、救済はされなかった人々だと言うことができるだろう。

資本主義は、「ブルジョワジー／プロレタリアート」という階級の区分に対して、物的な――つまり商品上の――対応物をもつ。「（成功した）新商品／ゴミ」という区別がそれである。資本主義は絶えず、新商品を市場にもたらさなければならない。そうしなければ、利潤を無限に生み続けることができないからだ。新商品が次々と生まれるということは、それに対応して、次々と廃棄物が出てくるということだ。古くなったり、壊れたりして、廃棄物になるわけではない。新商品が出てきたときに、既存の物は、新商品との差異によって廃棄物へと、ゴミへと転化するのだ。救済された対象が（成功した）新商品ならば、呪われた対象がゴミである。この「物」の区別が、階級の区分に対応している。

答え——どうして普遍的連帯への歩みは始まらないのか

　さて、ここまで説明してようやく、本来の問いに答えられる地点に到達した。パンデミックの渦中にあって、誰もが全地球的な規模の普遍的連帯の必要を理解したのに、どうして、実際にはこうした理解とは逆行することが起きているのか。連帯どころか、国民国家は利己主義をあらわにしてふるまい、階級間の格差も拡大している。それはどうしてなのか。これが疑問であった。われわれが資本主義を手放すことができないからだ、というのが回答なのだが、どうして手放せないのかが重要である。

　コロナ危機の最も厳しいとき、つまり「緊急事態」の中で、われわれがなさなければならなかったこと、なすように求められていたことは何であったか。それは、経済活動のほぼトータルな停止だった。後に経済を動かすために、現在を禁欲することだ。ところで、資本主義とは、基本的には、永続的な禁欲のシステムであった。そうであるとすれば、パンデミックの危機の中で求められていたことは、まさに、資本主義の「得意技」だったことになる。

　しかし、ひとつ、重要な違いがある。本来の資本主義との違いが、である。述べてきたように、禁欲、つまり現在の満足の断念がいつまでも継続するためには、来るべき救済——資本主義的には将来の利潤——の幻想が必要だった。（実際にはやってこない）救済が確実に待っているという幻想が、である。しかし、コロナ禍の緊急事態の中で求められている自粛・禁欲に対しては、そのような幻想は与えられない。

資本主義の通常の作動の中でも、世俗内禁欲の厳しい労働を求められながら、結局、自分は救済された、救済されつつあるという実感をもてない人々もいる。それが、プロレタリアートであった。そうだとすれば、緊急事態のもとでの自粛・禁欲とは、すべての人がこのプロレタリアート的な境遇に置かれるのと同じである。全員がただちに貧しくなる、と言っているのではない。そうではなく、富裕層でさえも、禁欲と救済との関係において、貧しいプロレタリアートの場合と同じ形式の境遇に置かれる、ということだ。

救済の幻想をとりはらって、端的な無期限の禁欲に服すること。これがコロナ危機の中で求められたことなのだが、こうした態勢は十分に長く機能するだろうか。もちろん、機能しない。禁欲がいつまでも続くのは、救済の約束があったからなのだから。

ここから、あの株式市場の不可解な活況において露骨に示されているような執着、「資本主義は死につつあるわけではない。今でもまったく健康だ」というあの否認が出てくる。経済活動から全面的に撤退するような禁欲は、資本主義的な救済について人々が強い確信をもっていなければ不可能だ。資本主義を（ほぼ）否定するような経済の停止は、資本主義を前提にせざるをえない。これは、むろん、端的な矛盾である。

それゆえ、結局、十分に徹底したコロナ対策は、不可能だ、ということになる。ここで「十分に徹底したコロナ対策」と言ったとき、そこには、将来的には世界共和国へとつながるような普遍的連帯の準備ということも含まれる。あるいは、階級の格差と分断という形式で出現する救済の幻想を放棄することもまた、含まれる。普遍的連帯の必要性は誰でも容易に理解できるのに、そうした方向への歩みが一向に生じない究極の原因は、以上の点にある。

6　もうひとつの時間

二種類の時間の合成

資本主義の（瀕）死が否認されている。資本主義が執着されているとき、資本主義の何が、資本主義のどのポイントが執着の対象になっているのか。プロテスタンティズムの「予定説」の意義を強調するヴェーバーの著名な研究に言及しながら論じてきたこと、資本主義の貪欲はむしろ独特の禁欲のシステムによって支持されているということを示しながら暗示してきたこと、それは、執着の対象となっていることがらの中核には、「時間」なるものの構成、資本主義を成り立たせている「時間」がある、ということだ。それは、終末の「救済」を指向する時間だ。それは、終わり（救済）を目指しながら、決して終わらない終わりである。なぜなら、終わりは、そこに到達した瞬間に、常にそのたびに先送りされるからだ。

ところで、時間についての代表的な表象は、二つある。直線と円環である。前者は、時間の不可逆性、次々と無に帰していき決して返ってこないという感覚に対応している。後者は、無限性——反復の無限性——ということに関係している。真木悠介の『時間の比較社会学』によると、近代的な時間の意識は、この二種類の表象の合成によって生まれた[*28]。

後者の円環の時間の源流は、ヘレニズム（古代ギリシア）にある。前者の不可逆的な直線（線分）の時間の源流は、ヘブライズム（ユダヤ・キリスト教）にある。直線的な時間の表象は、絶対に始点には回帰しない真の終末論から生まれた。そのような終末論は、ユダヤ教の後期に登場し、キリスト教へと継承された。

前節で述べてきたことから、二種類の時間の表象の合成の産物は、「近代」というより、「資本主義」の時間と解すべきだ、という結論を導くことができる。資本主義は、終末論的な直線的時間を、循環的に適用するところに生まれる。終末そのものが繰り返される、という構成である（図2-4）。二種類の時間のうち、より基底的な契機は、終末論的な直線の時間だ。終末の循環の全体が、さらにメタレベルの終末論——最終的な救済へと向かう時間——となっているからだ。

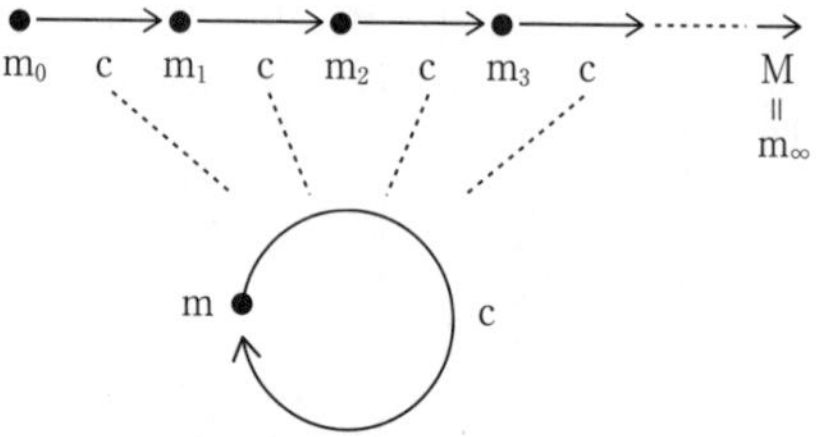

m_n：n回目の終末
c：生産・売買等（世俗的禁欲）
M＝m_n：真の終末

図2–4　資本主義の2種類の時間

ここで示してきたことは、困難の究極の源泉は、資本主義を成り立たせているこの時間の構成にある、ということである。われわれは、この時間の枠組みの外に出ることができない。われわれが資本主義に執着するのは、こうした時間の枠組みの外へと脱出できないからである。

このとき、新型のウイルスへの真に徹底した対応も不可能になる。誰もがその必要性を理解している、普遍的連帯への歩みも始まらない。資本主義の時間の外部に出ることは不可能なのか。

第三の時間

今しがた、真木悠介の研究を引きながら述べたように、資本主義の時間の二種類の成分は、「西洋」という文明の二つの源流に由来する。ヘレニズムとヘブライズム、この二つである。ここで、よくよく目を凝らして見るとよい。もうひとつ時間があることに気づく。二種類の時間のどちらにも還元できないもうひとつの時間が、である。キリストが到来した瞬間である。そう、すでに第3節で垣間見た時間、「ノリ・メ・タンゲレ」と語ったキリストがいたときの時間だ。

キリストの到来は、ひとつの出来事であって、循環する時間という表象には適合しない。そして、キリストは「今ここ」にいるのであって、未来の救済を待望しつつ禁欲する過程としての現在にいるのでもない。つまり、キリストがいた時間は、二種類の時間のどちらでもない。キリストがかつて到来したという事実は、われわれが資本主義の二種類の時間の外へと出ることができるということを暗示している。

キリスト教という宗教やその教義が重要なのではない。直線の時間、円環の時間のどちらでもない時間、時間についての代表的な表象のどちらにも還元できないもうひとつの時間が確実に存在しているということ、それを示す実例として、キリストを参照したのだ。

この第三の時間とは何なのか。このもうひとつの時間が告げていることは何なのか。それは、任意の「今」において、根本的に新しいことを始めることが可能だ、根本的に新しいことが始まりうる、ということである。新型コロナウイルスの侵入という偶発的な事件を、この〈始まり〉のための合図として活用すること。言い換えれば、この事件を人新世の先に待っている破局を予示する〈しるし〉として受け取り、破局に対する真の闘いの〈始まり〉とすること。一〇〇年後にもなお人類が繁栄しているかどうかは、これにかかっている。だが、何を始めればよいのか。以下の章で考察することになる。

＊1　少なくとも、一度でも民主主義を経験した人民は、中国の指導に従おうとは思わないだろう。香港でさえも、中国に完全に統合されることに強い拒絶反応を示したのだから。自国を十分に民主化していない国が、国際的な協調体制の民主的な運営を目指すことなどあるはずがない……と人々は思うだろう。

＊2　というより、オランダ、オーストリア等の財政規律を重んじる国々からの反対が大きいので、恒久化は困難だと見られている。

＊3　NHK BS1スペシャル「シリーズ・コロナ危機 グローバル経済、回復力の攻防戦」、二〇二〇年七月五日放送。

＊4　ヘーゲル『歴史哲学講義』上・下、長谷川宏訳、岩波文庫、一九九四年。

＊5　先にも述べたように、バイデン大統領は、パリ協定への復帰を決断したが、ここで注意しておきたいのは、たとえ短期間であれ、温室効果ガスの最大の排出国がこの協定から離脱できたということ、つまりそのような政策がそれなりに合理的なものと見なされ、離脱を公的に掲げたトランプが二〇一六年の大統領選を制した、つまり民主的に支持されたということ、この事実である。

＊6　ホッブズ『リヴァイアサン』全四巻、水田洋訳、岩波文庫、一九八二〜九二年。

＊7　スラヴォイ・ジジェクが、新型コロナウイルスのパンデミックに際して緊急出版した小著を、この語を引くことから始めている。ジジェク前掲『パンデミック』。

＊8　原典ギリシア語では Μή μου ἅπτου (*mē mou haptou*)。

＊9　細かいことだが、気になる人がいるかもしれないので付け加えておく。「マタイ」では、マリアたちは、墓を去るとすぐにイエスに会い、直前に御使いから伝えられたのとほぼ同じ趣旨のことをイエスから聞く。田川建三によると、これは、マタイがマルコの話を変更したために（マルコではマリアたちは弟子たちに話を伝えなかったのに、マタイではすぐ話を伝えに行ったことにした）挿入された不自然なエピソードである。以下を参照。田川建三訳著『新約聖書 訳と註 1 マルコ福音書

／マタイ福音書』作品社、二〇〇八年、八四八頁。

*10 大澤真幸『〈世界史〉の哲学　古代篇』講談社、二〇一一年。他者の身体に触れること、他者の身体がすぐ近くにあることが、イエスの活動にとってどれほど重要だったのか、ということについては、高橋由典の以下の考察が非常に深い。高橋由典『続・社会学者、聖書を読む』教文館、二〇二〇年、二八―三四頁。

*11 田川建三訳著『新約聖書　訳と註　2上　ルカ福音書』作品社、二〇一一年、四五頁。

*12 M・フーコー『性の歴史1――知への意志』渡辺守章訳、新潮社、一九八六年。『生政治の誕生』慎改康之訳、筑摩書房、二〇〇八年。

*13 G・アガンベン『ホモ・サケル――主権権力と剝き出しの生』高桑和巳訳、以文社、二〇〇三年。

*14 アリストテレス『政治学』山本光雄訳、岩波文庫、一九六一年、三四頁（１２５２ｂ）。

*15 それに対して、ゾーエーを担ったのが、オイコス（私的圏域）である。

*16 G・アガンベン「根拠薄弱な緊急事態によって引き起こされた例外状態」(Il Manifesto, 2020.2.26)「補足説明」(Quodlibet, 2020.3.17) ほか。アガンベンの議論については、以下の対談における、國分功一郎の解説を参照。國分功一郎・大澤真幸「哲学者からの警鐘」『Thinking「O」』16号、二〇二〇年。

*17 現在の実際の政治において、遺伝子の継承や増殖を基準に政策が決定されている、ということではない。ここでは、生政治という概念の論理的に純化されたモデルについて述べている。ただし政治が、優生学によって汚染されているときには、実際に「遺伝子」が主題になる。この場合、しかし、優生学が関心を寄せる遺伝子は、純粋に生物学的な実体ではなく、イデオロギーによって「優劣」の

判別を付与された遺伝子である。現在のコロナ禍との関係で言えば、医療崩壊の中で「命の選別」がなされたとき、無意識のうちに、遺伝子に準拠した判断が導入されていた、と見ることもできるだろう。

＊18　真木悠介『自我の起原――愛とエゴイズムの動物社会学』岩波書店、一九九三年。

＊19　「テレオノミー」という語は、テレオロギー（目的論）という概念の神学的な含みを消し去るためにリチャード・ドーキンスが導入した概念である（『利己的な遺伝子 40周年記念版』日高敏隆他訳、紀伊國屋書店、二〇一八年）。遺伝子が自らの増殖を目的として利己的にふるまっているかのように説明しても、自然科学の原則に反することはない。

＊20　大澤真幸「社会性の起原」『本』連載を経て『現代ビジネス』で連載中。

＊21　動物の行動に見られる習性は、常に、（遺伝子の）環境への適応との関係で合理性がある。

＊22　ジョージ・スペンサー＝ブラウン『形式の法則』山口昌哉監修、大澤真幸・宮台真司訳、朝日出版社、一九八七年。大澤真幸『増補　形式の法則』青土社、二〇〇〇年。

＊23　厳密には、株価は、パンデミックに無関心ではない。株価の上昇につながるポジティヴなニュースには――たとえばワクチンが開発されそうだといったニュースには――、過剰に反応している。株式市場は、経済の全体としてはきわめて悲惨なことが起きているのに、そのことには無関心を装い、ごくささいな「不幸中の幸い」のような兆候には、過敏に反応しているのである。

＊24　ここで「否認」という語を、特定の意味で、つまり精神分析学（フロイト）の概念として用いている。精神分析的な意味での否認とは何かは、次の＊25を参照。

*25 このように精神分析では、あることが事実であることがあからさまで、本人も一方では、そのことを知っているのに、他方では、それを真実として受け入れず、拒否することを「否認」という。ノーマンは、母親が死んだことを知っているのに（自分が殺したのだから）、それを真実とは認められないため、奇行に走り、殺人の罪を犯した。否認は、あまりにも辛い事実に対する防衛機制のひとつである。

*26 ヴァルター・ベンヤミン「宗教としての資本主義」『ベンヤミン・コレクション7』浅井健二郎編訳、ちくま学芸文庫、二〇一四年。

*27 マックス・ヴェーバー『プロテスタンティズムの倫理と資本主義の精神』大塚久雄訳、岩波文庫、一九八九年。

*28 真木悠介『時間の比較社会学』岩波書店、一九八一年。

第3章 惨事便乗型アンチ資本主義

1　ソフィーの選択のように

究極の選択

誰もが、国民国家を横断し、階級の差別を克服した普遍的連帯が必要なことはわかっている。しかし、人類はそちらへと歩みを始めず、逆の方向へと突っ走っている。その原因を妥協することなく底の底まで探究していくと、資本主義へのわれわれの執着、資本主義という形式をとった経済への執着を見出すことになる。人類は資本主義を手放すことはできないらしい。

ところが、新型コロナウイルスのパンデミックの中で、われわれは、資本主義という形態をとった経済をめぐって究極の選択を迫られた。経済をとるのか、生命（健康）をとるのか。後者をとることは、資本主義を（一瞬）全面的に手放すに等しいほどに徹底して経済活動を停止させることを意味していた。世界中のほとんどすべての国が、細部では相違があるものの、ほぼ同じ意義をもつ選択に直面した。そして、ほとんどの国が実際に、一時的に「経済」を手放した。

経済活動を停止させる最も強い措置は、都市のロックダウンである。日本の法律は、政府や自治体がそこまでのことを実行するのを許してはいない。しかし日本でも、新型コロナウイルスの感染の拡大を防止するため、「非常事態」が宣言され、移動の制限やイベントの自粛などが強く要請されるなど、いくぶんかは「ロックダウン」に近い措置が講じられた。これだけのことが実行されれば、少なくとも一時的には、感染者の増加を抑えることができる。

が、これで安心というわけにはいかない。なぜなら、新型コロナウイルスは、何波にもわたって繰り返し流行のピークを迎えるからだ。また未知の感染症やウイルスはこれで終わりというわけではなく、今後も人間社会に突然入ってきうるということをわれわれは知ってしまったからだ。さらに言えば、第1章で述べた通り、人新世のもとでは、生態系の大規模な危機等、新型コロナウイルスのパンデミックに匹敵する――あるいはそれを超える――困難が、今後も起こりうると、十分に予想できるからである。要するに、人類は今後ずっと、同じような究極の選択を、すなわち経済活動を継続するか、それともほぼ全面的に停止するかという選択を、迫られる可能性がある状態を生き続けなくてはならない。

つまり、われわれは、同じ選択の前に繰り返し立たされることになる。われわれはどうすべきなのか。

リーマンショックの教訓

まずはひとつのことを思い起こすことから始めよう。二〇〇八年のリーマンショックのときに学んだことを、である。あのとき、われわれは知った。資本主義は、生き延びようとすると、ときに自らの原理を——少なくとも部分的には——否定せざるをえなくなるのだ、と。リーマンショックを乗り越えるためにとられた政策の基本は、銀行や大企業に多額の公的資金を投入することだった。ということは、このとき銀行も大企業も、事実上、国有であるかのように扱われた、ということである。企業の国有化は、しかし、社会主義体制のやり方ではないか。二〇世紀の末期に、資本主義は、長年のライバルだった社会主義に勝利した。この勝利は、資本主義よりも優れた経済システムはありえないことの証明として受け取られた。ところが、その資本主義が、危機を乗り越え生き延びるためには、自らがこの地上から追い払った社会主義の手法を導入するしかなかった、ということになる。これが、リーマンショックを通じて得られた教訓である。

さて、すると、現在われわれがその渦中にある新型コロナウイルスの危機に関しても、二〇〇八年と同じようなことが反復されるのではないか。つまり、この危機を——もう少し慎重に言い換えれば、この危機をきっかけとしてあからさまになった今後長く続く困難を、資本主義が生き延びようとすると、自らのアイデンティティを規定している基本的な原理を否定するような方法を採用せざるをえないだろう。しかも、それはリーマンショックのときよりもはるかに徹底したやり方になるはずである。

二〇〇八年には、反資本主義的な方法が適用されたのは、金融機関や大企業に対してだけであった。その後も、貧者に対しては、剝き出しの資本主義（ネオリベラリズム）が適用されてきた。コロナ危機に対しては、このような差別的な対応は通用しない。というより、コロナ危機で反資本主義的な方法が動員されるとすれば、それは主に、貧者に対して——資本主義のシステムの中で周縁部に追いやられている者に対して——である。

トロッコ問題の極限

ウイルスの感染が急速に拡大しつつあるとき、エッセンシャル・ワーカー以外のすべての人は、自らの家の中に留まり、活動を制限しなくてはならなかった。しかし、これには耐え難い犠牲がともなう。経済を麻痺させ、多くの人の収入を縮小させたのはもちろんだが、大量の解雇者、失業者を生み、さらに多くの企業を倒産させることにもなった。健康をとるのか、経済をとるのか。今しがた述べたように、この選択は、今後も反復せざるをえないだろう。最初に強調しておこう。これは、真正の「ソフィーの選択」である、と。

　倫理学の領域で「トロッコ問題」と呼ばれる思考実験がある。[*1]「ソフィーの選択」は、同名の小説・映画に由来するものだが、トロッコ問題の極限のケースだと解釈することができる。トロッコ問題は、倫理学者の間だけではなく、一般にもよく知られている。ブレーキが故障して暴走しているトロッコがそのまま直進すると、線路上で作業をしている五人を轢《ひ》き殺すことになる。一本だけある引き込み線の方へと進路を転じても、やはり線路上の一人を犠牲にせざるをえない。このときどうすべきか。この問題への回答は、「引き込み線へと回避する方がよりよい」ではない。この思考実験においてまず理解すべき最も重要なポイントは、「よい選択肢はない」ということにある。

　この点をもっとはっきりさせるために、トロッコ問題には改訂版がある。というより、ベーシックなトロッコ問題は、改訂版へと人を導くための撒《ま》き餌《え》のようなものである。改訂版では、都合のよい引き込み線はなく、五人の作業員を救出するためには、一人の太った男を跨線橋《こせんきょう》から突き落とさなくてはならない。太った男は、トロッコに轢き殺されるが、彼に衝突したトロッコは止まる。トロッコ問題には、よりよい選択肢はない。だから、われわれは、より悪くない選択肢をとるほかない。

そして、ソフィーの選択は、その「より悪くない選択肢」すらない状況である。アラン・J・パクラ監督によって映画化された、ウィリアム・スタイロンの小説『ソフィーの選択』では、主人公のソフィーは、トロッコ問題よりもずっと困難な選択を強いられることになる。第二次世界大戦の中、ナチスに占領されていたポーランドが舞台である。反ナチス闘争に関わったと見なされたソフィーは、幼い二人の子とともに強制収容所に送られた。アウシュヴィッツの駅で、彼女は、ナチスの将校から告げられる。「二人のうちのどちらかの子を選べ。その子は救われるが、選ばれなかった子はただちに殺されるだろう」と。もちろん、ソフィーは一人の子だけを選ぶことはできない。将校はさらに言う。「あなたがどちらも選ばなかったときには、二人の子はともに殺されることになる」と。どちらかの子だけを選ぶわけにはいかない。しかし選ばないわけにもいかない。結局ソフィーは、二人のうちの一人を、女の子ではなく男の子の方を選ばざるをえなかった。

「命か、経済的利害か」を超えて

感染の抑止か、経済活動か。これは、完全にソフィー的な選択である。両方を十分に満足させることができないことは、誰にでもわかる。あれか、これか。どちらかを選ばなくてはならない。感染の拡大速度がどの程度のときに、どの範囲の経済活動をどのくらい制限すればよいのか。そんな研究もなされている。

感染が急激に拡大しているときに、強引に経済活動を再開させても、かえって経済の損失が大きくなる。ドイツのＩｆｏ（経済）研究所とヘルムホルツ感染研究センターが二〇二〇年五月に発表した共同研究によれば、実効再生産数Rt（一人の感染者が何人に感染させるか）が0・75になるレベルの経済制限が、経済的損失を最小にする。Rtが1以上であれば、経済活動を極力抑えるべきなのは当然だが、Rtをゼロにすることは不可能だし、またそれを目指したときの経済的な損失は大きすぎる。Rt＝0・75程度の感染縮小になる経済活動が最適だというのだ[*2]。いずれにせよ、徹底した感染の抑止と十分な経済活動が両立できないことはまちがいない。感染の抑止を優先させたときには、十分な経済活動ができないために不況が長引き、失業者が街に溢れることになる。

われわれの現状は、ソフィーの選択よりは少しはましだ、と思う人もいるかもしれない。

ソフィーの場合、どちらを選んでも、子の命を犠牲にするわけだが、いまわれわれが直面しているのは、「命か、経済的利害か」の選択なのだから。となれば、多少の痛みがあっても前者をとるのは当たり前ではないか。しかし、これほどの経済活動の縮小は――すでに多くの人が主張しているように――やはり命に関わることだと言わざるをえない[*3]。

パンデミックの期間中はもちろんのこと、先に示唆したような、今後起こりうる脅威――人新世におけるパンデミックを含む生態学的な脅威――に備えた経済活動の抑制や停止は、われわれの経済システムの破壊を意味するものになりうる。それは、とてつもなく多くの人々の生活を破綻させるだろう。

ソフィーの三角関係

映画『ソフィーの選択』で、ソフィーのアウシュヴィッツの駅でのあのおぞましい体験が語られるのは、終盤である。物語の大半は、ソフィーをめぐる奇妙な三角関係を描いている。場面は、第二次世界大戦が終わって間もない頃のニューヨークである。彼女は、二人の男から愛される。一人は、作家志望の若い男で、語り手でもある。もう一人は、非常に精神不安定でエクセントリックな男で、製薬会社で仕事をしているという自称「生物学者」である。ソフィーは、どちらの男を選ぶこともできない。もう少し正確に言えば、ソフィーは、作家志望の男の自分への愛を知っているが、「生物学者」との不毛な同棲を続けている。

さまざまなことがあり、あの決定的な出来事を除くソフィーの背景も少しずつ明らかになってくる。つまり、彼女がポーランド人で、アウシュヴィッツに収容されていたこと等も次第にわかってくる。ついにソフィーは、まともな方の男、つまり作家志望の若い男とともに逃げ出す。その逃亡の最初の夜に、ホテルで、ソフィーは、アウシュヴィッツの駅でのことをこの男に打ち明ける。このときはじめて、映画を見ていたわれわれは理解する。この恋の三角関係は、ソフィーにとっては、あのアウシュヴィッツの駅での選択の反復だったということを、である。

そこまでの展開で、ソフィーの三角関係への対応があまりにも不器用なことに、見ている者は苛立ちを覚えている。どうしてソフィーはもっと決然と選ぶことができないのか。どうして彼女は、暴力的なダメ男への執着を断つことができないのか。しかし、この恋が、アウシュヴィッツの駅での選択の反復だったことがわかると、ソフィーの曖昧さには本質的な意味があったということがわかってくる。

結局、ソフィーは一夜を過ごした後、若い男から去って「生物学者」のもとに戻り、一緒に自殺してしまう。彼女は、誰が見ても明らかにより悪い方の、つまり最悪の男を選び、その男とともに死んでしまったのだ。この破滅的な結末によってしか、ソフィーは結局、一人の子を犠牲にしてしまったことによるトラウマを克服できなかったのである。[*4] 確かに、アウシュヴィッツの駅で彼女はああするほかなかった。誰もソフィーを責めることはできない。しかし、このことは彼女にはいささかの慰めにもならなかった。『ソフィーの選択』は、ソフィーがあの選択をどれほど後悔し、それをどうやってやり直そうとして挫折したのか、ということについての物語として解釈することができる。

ここから得られる教訓は何か。つまり一方をとって、他方を犠牲にする、という選択に満足してはならない。何としてでも、どちらにも執着し、両方をとらなくてはならないのだ。コロナ禍との関係では、それは何をすることを意味しているのだろうか。

2 ベーシック・インカムは可能か

さまざまな給付金

これに対する暫定的な回答は、少なくとも理屈のうえでは、それほど難しくはない。実際、日本を含む多くの国でその方向への歩みはすでに始まっている、と言ってよい。つまり、どんな政治家でも、その人がどんなイデオロギーを信奉していたとしても、右派であろうが左派であろうが、そうするほかない、というような方法がひとつだけある。それは何か。仕事を失った人、仕事を休まざるをえなかった人に、生きるうえで必要な額にあたる金額を支援すること、これである。

一方では、ときに、諸個人の自己隔離を含む感染症対策が、その個人の健康のためにも、また他の人々の健康のためにも、不可欠になる。他方で、経済に関しては、さしあたっては、通常のビジネスや労働ができなくてもよい。ただ、全員に、安全かつ安心で、そして人間らしい生活を送るに十分なだけの経済的な援助がなくてはならない。そうすれば、結局、ソフィーの選択の状況で、どちらの選択も断念せず、両方をとったことになる。

たとえば、アメリカでは、二〇二〇年三月に成立させた「コロナウイルス救済法」に、年収七万五〇〇〇ドル（約八〇〇万円）以下の労働者（無所得者を含む）一人あたり、一律一二〇〇ドル（約一三万円）の直接給付が盛り込まれている。[*5] しかも、子どもがいる家族には、子ども一人に対して五〇〇ドルが追加される。

イギリスでは、コロナ禍の中で休業した企業の労働者およそ九〇〇万人に対して、月額二五〇〇ポンド（約三二万円）を上限に、賃金の八割を支給した。ドイツは、一方で、「操業短縮手当制度」を通じて、賃金の六割を補償することで雇用の維持をはかるとともに、他方で、自営業者やフリーランス、あるいは中小企業に対しては、事業所の規模により最大九〇〇〇～一万五〇〇〇ユーロ（約一〇五万円～一七五万円）を直接支給した。

注目すべきはスペインである。失業者に対して賃金の七割にあたる額を補償しただけではなく、低所得者層を対象とした恒久的な給付制度を決定した。これは、月収二三〇ユーロ（約二万八〇〇〇円）を下回る家庭八五万世帯（人口にすると五％にあたる約二三〇万人）に対して、単身世帯ならば月額四六二ユーロ（約五万五〇〇〇円）を支給する――ただし家族の人数に応じて支給額が変わり、一家族あたりの上限が一〇一五ユーロ――というものである。

日本政府はどうか。日本政府は、雇用調整助成金の特例とは別に、全国民に、一人あたり一〇万円を一律給付することを決め、実施した。これは、アメリカやヨーロッパ諸国の政策と比較したとき、決して大きな金額ではない。しかし、「一人あたり平等に一〇万円」は、これまでの日本政府の常識からすれば、画期的と言ってよいレベルの寛大な給付である。

ベーシック・インカム

しかし、これらの金額は、コロナ危機の規模との関係では明らかに足りない。数ヶ月で感染症の危機がすべて除去されるのであれば、今、概観してきたような各国政府の支給額で許されるかもしれない。だが、新型コロナウイルスに対するワクチンや治療薬が開発され、全地球に普及するまでの時間は、それよりもはるかに長く、年単位で考えねばならない。さらに、今後も侵入してくる新たなウイルスや感染症、その他の脅威のことまで考慮に入れれば、最も寛大だった政府の支給額でも不十分である。支給額だけではなく、支給の範囲を広げなくてはならず、そして何よりも給付の期間が十分に長くなくてはならない。一回だけの単発的な給付では、焼け石に水である。

夥《おびただ》しい数の自殺者を出すような経済の破局を避けるためには、政府は、失職者や休業者が必要とする金額を保障し、支給していくほかない。日本政府だけではない。どこの国の政府もそうせざるをえない。リーマンショックのときには、多くの批判があっても、政府は、大企業や銀行を公的資金によって救済するしかなかった。今度は、政府は、公的資金で、零細企業や貧しい労働者・失業者をも救済しないわけにはいかない。

このやり方が長期化するとどうなるか。ほとんど恒常化したときにはどうなるのか。つまり、このやり方が向かっている先には何があるのか。すでに多くの論者によって指摘されていることだが、コロナ危機に対して各国政府がとった措置を十分に徹底させていけば、それは一般に「ベーシック・インカム（基礎所得保障 universal basic income）」と呼ばれている政策に近づいていくだろう。

ベーシック・インカムとは、すべての個人に、いかなる条件もつけずに定期的に給付される現金である[*6]。家族等ではなく個人単位で給付されることがポイントである。資力とか、労働要件（労働可能だと見なされた者に対する労働の義務）とかの条件によって制限されることもない。それゆえ給付に際して、それらのことを調査する必要もない。したがって、給付される範囲は、完全に普遍的なものに——無制限にすべての個人になる。今のところ、コロナ対策として各国の政府がやってきたことは、ベーシック・インカムにはなっていない。しかし、潜在的にベーシック・インカムを目指している、と言うことはできる。

財源の問題

しかし、ベーシック・インカムは実現可能なのか。すぐに思いつく問題点は財源である。たとえば、日本でベーシック・インカムを導入したとすると、どのくらいの財政負担になるのだろうか。まずどの程度の給付額が適当かだが、参考になるのは、現在、単身世帯に支給されている生活保護の金額だろう。地域によってばらつきがあるが、その平均は、月額一二万円ほどである。ベーシック・インカムを導入する場合、この金額が最低ラインということになる。この金額の現金を全国民に給付したとすると、どの程度の増税が必要になるだろうか。財政学者の井手英策の概算によると、一七三兆円の予算が必要で、これを純増税で賄《まかな》うためには、消費税率を、現状よりもさらに六二%引き上げなくてはならない。つまり消費税を七二%としなくてはならない。[*7] これは、とてつもなく非現実的な数字に思える。

ちなみに、ベーシック・インカムを導入する代わりに、現存の社会保障を廃止すればよい、と主張する者がいる。社会保障費の節約のためにベーシック・インカムを活用するというわけだが、これは本末転倒の論外な主張だと言わねばならない。もちろん、ベーシック・インカムの金額が十分に大きければ、生活保護のように不要になる社会保障制度もあるはずだが、基本的には現状の社会保障制度を維持しておかなくては、ベーシック・インカムを導入することの意味は消えてしまう。社会保障制度を縮小すれば、一人の人間がまともな生活をするのに必要なお金はますます大きくなる、つまり給付されるべきベーシック・インカムの金額をより高くしなければならなくなるので、財政的な負担はかえって大きくなるはずだ。ベーシック・インカムは、既存の社会保障制度を維持したうえで給付されなくてはならない[*8]。

　すると、結局、政府は当面、増税をせず国債を発行することを通じて、必要な資金を用意するしかない。では、国債というものは無限に発行できるものなのか。もちろん、そんなことはない……、と一般には考えられている。均衡財政（政府の支出が税収を超えない）でやっている国はほとんどない。どこの国の政府も借金をかかえている。だからほとんどの経済学者は、政府の財政が赤字であっても、経済が破綻することはない、と考えている。しかし、同時に、いくら借金があっても問題がない、と考えている経済学者はほぼいない。

借金には限度額のようなもの、閾値《いきち》のようなものがあると考えられているのだ。ただ、その閾値がどのくらいなのか、たとえばＧＤＰに対してどのくらいの割合なのか知っている者は誰もいない。政府財政の赤字の許容限度を導き出す理論があるわけでもない。

ともかく、一般には、財政赤字の蓄積があるレベルを超えると、何かよからぬことが起きると考えられている。よからぬこととは何か。少なくとも国民としては、将来の増税を覚悟しなくてはならない。結局は、財源の問題は振り出しに戻る。受給者としては、ベーシック・インカムのかたちで生活費が支給されたとしても、後で増税によって吸い上げられてしまうならば、結局、援助されなかったのと同じことになってしまう。

さらに、長期的には、増税よりももっと恐ろしいことが待っている。極端なインフレである。政府が借金を増やしつつ、財政支出を増大させていったときに起こりうる最も恐ろしいことは、ハイパーインフレーションである。インフレとは貨幣の価値が下がることだ。ある通貨がハイパーインフレになれば、それは、その通貨を使用していた国民の資産が急に小さくなることを意味する。つまり、すべての国民の貯金が、ある日突然盗まれたようなものだ。これは、パンデミックに勝るとも劣らない破局である。

都合のよい経済理論

ところが、ここに、とてもありがたい経済理論が天啓のように与えられる。「現代貨幣理論ＭＭＴ：Modern Money Theory」という名前の――名前の普通っぽさにはそぐわない――異端の学説である。ＭＭＴはこう説く。政府の財政には予算制約がない、と。つまり政府はいくら借金をしても大丈夫、というわけだ。主流派からは、ＭＭＴは「トンデモ話」のように批判されているが、主流派だって政府の予算制約に関して説得的な理論をもっているわけではない。ならば、この際ＭＭＴを信じて、国債をどんどん発行して、最終的には高レベルのベーシック・インカムを確立したらどうだろうか。そうすれば、われわれは安心して、仕事を休み、「ステイホーム」することもできるのではないか。ソフィーの選択が、突然、ごく簡単な合理的選択に転換する。

とはいえ、異端のＭＭＴを信じることは難しい。だから、政府は気軽には、国債を発行できない。日本政府としては、一〇万円の給付だけでも、清水《きよみず》の舞台から飛び降りるような気分だろう。だが、これもいささかこっけいなことではある。ＭＭＴの主唱者たちが、自分たちの理論の正しさを示している実例としてしばしば挙げるのが、日本である。日本政府にあれほど大きな借金があるのに、日本経済は破綻していないではないか、と。ところが、当の日本政府の方は、ＭＭＴを信じてはおらず、財政支出に尻込みしている、というわけだ。

いずれにせよ、ＭＭＴは、われわれが信じたいことを信じさせてくれる、とても都合のよい理論だ。これに賭けてみたらどうか。

3　現代貨幣理論の盲点

負債としての貨幣

しかし、残念ながら、私の考えでは、この理論には、ひとつ——ひとつだけ——欠点がある。前提そのものに誤りがあるのだ。もう少し慎重に言い換えれば、公理のようになっている前提に関して、考えがあまりにも浅い。人間の心理についての理解が、著しく浅薄だと言わざるをえない。

だが、その前にＭＭＴには正しい洞察もある、ということをはっきりさせておかなくてはならない。それは、貨幣の本性は「負債」だという認識である。貨幣とは、流通する「債務証書」である。誰かの債務を記した書類が支払いに使えれば、それは貨幣である。貨幣に含意されている債務は、誰が負っているのか。それは、通貨を発行している者、つまりは政府――厳密に言えば統合政府（政府＋中央銀行）である。国債が、政府の債務証書であることは明らかだが、それ以前に、貨幣が政府の債務証書である。これはまったく正しい。

では、その債務証書としての貨幣を政府に突きつけて、借金を返せ、と言えば、政府は何か返してくれるだろうか。何も返してはくれない。そもそも、政府は何を返せばよいのか。貨幣で返すしかないが、それこそ当の債務証書ではないか。というわけで、貨幣は、政府にとって、返す必要のない負債だということになる。政府がいくら借金をしても大丈夫である、とする理論の究極の根拠はここにある。

こうしたからくりが成り立つためには、しかし、債務証書である貨幣が流通しなくてはならない。たとえば、私が債務証書を発行しても、それを、私のことをまったく知らない人の間にも流通させることはできないだろう。私の長年の友人は、私を信頼して、私の債務証書を受け取るかもしれない。しかし、その友人が、彼または彼女の友人に――私のことを知らない第三者に――、私が出した債務証書を支払い手段として使うことができるだろうか。友人は、友人の友人から何か貴重なモノを買おうとするとき、「この債務証書を大澤というヤツのところにもっていけば、あなたが私に与えてくれた貴重品に匹敵する価値あるものをあなたに返してくれるはずだから、この債務証書で支払わせてくれ」と言ったら、友人の友人は、喜んで、一面識もない大澤の債務証書を受け取るだろうか。受け取るまい。その友人の友人は、私のことをまったく信用していないからだ。かくして、私が発行した債務証書は貨幣にはならない。

ところが、政府が発行した債務証書は流通する。どうして流通するのか。流通の動因になっているのは租税である。政府は、貨幣――つまり政府の債務証書――で支払われた租税だけを受け取る。人々は、政府に税を納めなくてはならない、と思っている。このことが、政府が発行した債務証書（貨幣）が流通する最終的な原因になっている。ＭＭＴによれば、租税の機能は、貨幣を流通させることにある。普通は、租税は、政府が国民のために何か役立つことをするのに必要な費用として徴収されている、と考える。しかし、ＭＭＴにとっての租税は、そのようなものではない。租税の目的は、純粋に自己準拠的なものだ。つまり、租税の目的は、租税になること、租税として政府に回収されることのみにある。

税の謎

だが、これは実にふしぎなことではないか。ＭＭＴがまったく問うていない謎がここにある。われわれはどうして税を納めなくてはならない、と思うのだろうか。

ＭＭＴとはどんなものなのかを、とりわけ租税こそが貨幣を作り出しているということを説明する寓話がある。ＭＭＴの創始者とされているウォーレン・モズラーの実体験からくるものらしい。「モズラーの名刺の逸話」として知られている。[*9] モズラーは、子どもたちが家の手伝いをまったくしないことを不満に思い、「家の手伝いをしたらパパの名刺をあげよう」と子どもたちに提案したのだそうだ。すると子どもたちは喜んで、皿洗いや庭の芝刈りをするようになった……かというと、もちろんそんなことはない。子どもたちは、「パパの名刺なんて欲しくない」からである。そこで、モズラーは、月末に三〇枚の名刺を彼に納めることを、子どもたちに義務づけた。名刺を納めなければ、邸宅から追い出すぞ、と脅したのだ。すると子どもたちは、名刺を得るために、必死になって手伝いをするようになった。

この名刺こそが、貨幣である。貨幣として流通させるためには、それを毎月、モズラーに納めさせることを義務化しなくてはならなかった。むろん、これが租税である。だが、どうして子どもたちは、モズラーに名刺を納めるのか。その理由は簡単である。暴力的に脅迫されているからだ。納めなければ、住む家を失ってしまう。

「モズラーの名刺の逸話」でも、子どもたちは、何の理由もなしに、名刺を納めるわけではない。父モズラーによる脅しがなければ、子どもたちは「納税」しなかっただろう。では、現実の租税の場合はどうなのか。モズラーの脅しに対応する要因は何なのか。「そんなことは簡単だ。要因となっていることはモズラー氏の場合とまったく同じだ。国家から脅されているのさ。納税しないと収監するぞ、と」。こんなふうに説明したくなるだろう。確かに、納税者の主観的な意識においてはそうかもしれないが、客観的にはこれはまったく因果関係を逆転させた説明である。非納税者に対する懲罰が実際に機能し、執行されるのは、人々が国家に納税することを義務として承認し、非納税者への制裁を合法的なものとして受け入れているからである。われわれが納税を義務だとして受け入れている理由は、国家による物理的暴力によっては説明できない。逆に、納税しない者への暴力が正当化されるのは、まさにわれわれが納税を義務として受け入れているからである。そうだとすると、問題はそのまま残される。

国民はどうして政府に税を納めなくてはならない、と思うのだろうか。納税の義務があると考えているということは、国民が、政府に対して借りがある、政府に返さなくてはならない、と感じている、ということを意味している。これは奇妙なことだ。どうして、人は、政府に対する負債をもつと思うのか[*10]。納税は、それゆえ、とてつもなく変な現象だ。貨幣は、われわれではなく政府の方がわれわれに対して債務がある、ということを意味している。しかし、なぜか、われわれは政府に借りがあると感じ、政府の方の債務を意味する書類（貨幣）によってその借りを清算しているのである。どうして、われわれは政府に借りがあると思うのか。そのような負債感は、どのような条件のもとで成り立つのか。それは、「貨幣」なるものを可能にする条件として、説明されなくてはならないことだが、ＭＭＴは、これを自明視して、まったく考えてはいない[*11]。

負債のアンチノミー

いずれにせよ、ＭＭＴによると、貨幣は、政府にとっては返済の義務がない債務証書である。だから、政府は、必要なときにいくらでも貨幣を発行すればよいのだ、とＭＭＴは説く。しかし、貨幣が支払い手段として使われるとき、つまり人が貨幣による支払いを受け入れるとき、そこで働いている心理的なメカニズムは、実に精妙なもので、それはＭＭ

Tの視野には入っていない。先に、MMTにはひとつだけ欠点があると言ったのは、まさしくこの点である。

一方で、人は、現代の貨幣は兌換《だかん》紙幣ではないし、これを政府にもっていっても、何も返済してもらえないことを知っている。しかし、他方で、支払い手段として貨幣を受け取るとき、われわれは、あたかも貨幣に価値があるかのように、すなわち自分がいま受け取った貨幣は自分に続く他者たちも受け取るに違いないと想定して、その貨幣を扱っていることになる。ということは、貨幣のうちに含意されている債務がいずれ返済されるかのように、われわれはふるまっているのだ。ここには、二律背反（アンチノミー）がある。債務は返済されないことを知っているのに、それがいつの日か返済されるかのように扱っているのだから。これこそ、貨幣なるものの秘密である。

このメカニズムは、裸の王様の寓話に喩えることができる。誰もが王様が裸であることを知っている。しかし、それでも、人々が、王様が豪華な服を着ているという想定で行動していれば、そちらが現実となるのだ。ＭＭＴは、「王様は裸だ」と叫ぶ子どもの役を演じている。皆が知っていること——しかしあえて黙っていること——を頼まれもしないのに教える役である。

理論的に説明されなくてはならないことは、ほんとうはその先にある。どうして、皆が知っていることとは正反対のことが社会的現実になるのか。貨幣は無意味な記号なのに、まるで兌換紙幣のように価値あるものとして流通するのはどうしてなのか。それは、われわれの「政府」への（無根拠な）信頼に結びついた現象で、先ほど述べた国民の「納税への義務感（政府への負債感）」とも表裏の関係にあるのだが、これ以上の説明はやめておこう。

ひとつだけ大事なことを付け加えておく。いま政府の債務に関して述べたアンチノミーは、資本主義というものを一般的に特徴づける条件である。資本主義のもとで多額の資金をもつ者は、同時に、大きな債務をもつ者でもある。その負債は、返済されるという保証があるからこそ、貨幣として流通させることもできる。が、同時に、人は、すべての負債が完全に清算されることは絶対にないことも知っている。すべてが清算されるときは、資本主義が終わるときだからである。決して返済されないのに、あたかも確実に返済されるかのように扱われる負債。これが資本主義を成り立たせているのだが、この逆説が、通貨の発行主体である政府との関係においてはあからさまになる。他の経済主体は、それでも、負債を負うたびに返済しているが、政府は、ほんとうに返済しないからだ。この事実に中途半端に敏感だったのが、ＭＭＴである。

4　惨事便乗型アンチ資本主義

「あれも、これも」から

まとめると、もしＭＭＴが正しければ——そのように信じることができれば——、われわれは、ソフィーの選択の苦境を回避することができる。国債をどんどん発行して、事実上のベーシック・インカムを確立すればよい。しかしＭＭＴが自明の前提としていることは、必ずしも常に成り立つことではない。ＭＭＴの主張が成り立つのは、はっきり言えば、資本主義の順調な作動を前提にできるときである。

だが、新型コロナウイルスへの対策がもたらしていること、大規模な外出制限がもたらしていることは、資本主義的な経済活動の麻痺だ。たとえば、非常に多くの人は給料を得られず、賃料を支払うことができなくなる。そのため家主は、銀行への返済ができなくなる。……われわれは、「負債が全面的に清算され、消えてしまうことはないのに、実際には、常にそのたびにとりあえずは負債が返されることで、あたかも『負債は必ず返済される』かのようにふるまう」というゲームをやっていたわけだが、今やそのゲームは不可能になったのだ。王様が立派な服を着ていると見なそう、という「お約束」があったのに、王様がほんとうは裸であるという事実をどうしても否認できなくなった、というわけだ。したがって、ＭＭＴを信じてコロナ禍のもとで経済的に疲弊している人々への援助を続けても、いずれは挫折するだろう。

だから、休業せざるをえなかったり、失業したりした人たちへの補償や援助はやめた方がよい、と言いたいわけではない。まったく逆である。この方法はいずれ失敗し、資本主義というシステムの根幹を否定してしまうからこそ、実行すべきである。もともと、われわれの現況が、ソフィーの選択を連想させるようなジレンマに陥るのは、資本主義を前提にしているからだ。われわれが経済的に必要としていることの大半は、資本主義のルールから来るものだからだ。「あれか、これか」と迫られながら、どちらをとっても犠牲が大きすぎるとき、それを突破する唯一の方法は、選択肢そのものを変更してしまうことだ。ほんとうは不可能な「あれも、これも」にあえて執着すると、事前にはなかった選択肢が自然と生み出されるだろう。

惨事便乗型アンチ資本主義

それはどんなものか。もともとベーシック・インカムは一種の贈与であって、私的所有の原理に反している。私的所有こそ、資本主義にとって最も重要な前提である。しかし、今述べたように、ＭＭＴを脱構築的に活用するとき、資本主義という枠組みそのものの放棄につながっていく。その結果、ベーシック・インカムの実践に含意されていたことが、資本主義というフィルターを経ずに、そのまま剝き出しになって現れることだろう。それは、私的所有の原理の徹底した相対化である。

その結果、何が生まれるのか。ＭＭＴの理論は、われわれが国家に対してもっている不可解な負債感を、暗黙のうちに——自覚なしに——貨幣の流通の前提にしていた。しかし、ＭＭＴをあえて自己破綻するほどに活用するということは、国家に対するこうした負債感も消えるということである。言い換えれば、国家なるものへの依存や信頼も消滅に向かう。国家という媒介を消し去ったときに、何が現れるのか。国家という媒介なしに、ベーシック・インカム的な実践だけが残ったとしたら、そこに現れるものは何か。

それこそ、人類が長いあいだ夢見たユートピアではないか。人はそれぞれ能力に応じて貢献し、必要に応じて取る。国家の代わりに出現するのは、要するに、このスローガンに実質を与える究極のコモンズ（共有）である。あるいはむしろ、宇沢弘文の用いた語で、「社会的共通資本」と呼ぶ方が適当かもしれない。

　社会的共通資本とは、「社会全体にとっての共通の財産」のことである。どこまでが社会的共通資本で、どこからが私的な所有物なのか、この境界線は一義的に決まっているわけではない。宇沢は、自然環境（山、土地、水、大気など）、社会的インフラストラクチャー（道路、橋、電力など）、制度資本（教育、医療、金融、司法など）を、社会的共通資本として例示している。いずれにせよ、社会的共通資本の範囲は、いくらでも拡張することができる。言い換えれば、私的所有の範囲をいくらでも狭めていくことができる。その先には何があるのか。人間の労働の条件とその産物はすべてが社会的共通資本であるとする、理念的な極限を想定することができる。このとき、人がその能力に応じて蓄積したものを、誰であれ、必要に応じて取ることが正当化される。

　現在の困難に勇気をもって対決し、あえて不可能であるはずのものを選択すれば、こうしたユートピアへの長い道のりの最初の確実な一歩を踏み出すことができる。健康か、経済かと迫られれば、われわれは断じて両方を取ろう。健康も、経済も。そうすれば、われわれは両方を得るだろう。ただし、その選択を通じて、経済は別の経済へと変わる。

ナオミ・クラインは、「惨事便乗型資本主義 disaster capitalism」という問題を指摘している。惨事便乗型資本主義とは、政変とか戦争とか災害とかといった大惨事に便乗して――復興の名目で――、市場原理主義が推進されることを指す。[*12] こういうものがあるのだとすれば、逆に、惨事便乗型アンチ資本主義 disaster anti-capitalism というものもありうるはずだ。大惨事を活用することで、市場原理主義の根幹の制度である私的所有権を大幅に相対化するような社会変動も起こりうるだろう。

5　脱・私的所有

私的所有を超えて

だが、こんな破壊的なことだけを主張されても、われわれの――すべての人の――必要を満たすだけの経済システムを維持することができるのか。このことが心配だ、と思う者もいるだろう。そういう人のために、もう少しポジティヴなことを付け加えておこう。ベーシック・インカムの手法を自己破綻に至るほど徹底して活用することで、私的所有の領域からコモンズ（あるいは社会的共通資本）を取り戻す、という趣旨のことを述べてきた。これは、資本主義の初期に起きたことを反転させる試みでもある。一八世紀のイングランドで、コモンズ（共有地）から人々が締め出され、それが少数の地主の私有地として囲い込まれた。この「囲い込み」を主導し、支援したのがイングランドの議会である。ベーシック・インカムは、この資本主義の初期にあった動きを逆転させ、囲い込みを破壊し、開放する試みだと見なすことができる[*13]。

私的所有をコモンズや社会的共通資本へと転換したときに起きそうな問題は、ギャレット・ハーディンが「コモンズ（共有地）の悲劇」と呼んだ状況である。「能力に応じて貢献し、必要に応じて取る」というルールの場合、つまり貢献に応じた私的所有が認められないとき、人は、貢献に関しては消極的になり、取ることに対しては貪欲になるのではないか。そういう心配がある。ベーシック・インカムに関して、世界各地のいくつかのコミュニティで、すでに実験がなされている。そうした実験によると、「コモンズの悲劇」のようなことは、ほとんど起こらない。だから、これは杞憂《きゆう》である可能性が高い。

とはいえ、ここで主張してきたことは、ただのベーシック・インカムよりもラディカルだ。ベーシック・インカムを徹底して活用し、脱構築してしまおう、とまで言っているのだから。そのうえで、なお活力ある経済システムがありうるのか。心配な者もいるだろう。
しかし、十分に成算がある。伝統的な私的所有の制度を全面的に否定してもなお創造的でもありうる経済システムを構築する方法を、ひとつ紹介しておこう。これが唯一の方法ということではない。しかし、可能な方法のひとつであり、うまく機能すると考える十分な根拠がある。それは、エリック・ポズナーとグレン・ワイルが提案している「共同所有自己申告税ＣＯＳＴ：Common Ownership Self-assessed Tax」というやり方だ[*14]。

共同所有自己申告税

共同所有自己申告税ＣＯＳＴのエッセンスを理解するためには、まず、その基本前提をよくわかっていなければならない。

ここでは私有財産、私的に所有する富というものは、まったくないと考えてよい。すべてのモノが共同所有されている。つまりすべてが社会的共通資本であるという極限を想定しても問題がない。念のために述べておけば、一部のモノだけが共同所有である、という設定でも、その共同に所有されているモノに関して、ＣＯＳＴの方法は十分に適用できる。

そのうえで、モノに対しては保有者がいるわけだが、その保有者の権利は、私的所有権とどう違うのか。二つのポイントがある。使用権と排除権である。まず使用権について。使用権は保有者に属している。しかし、全面的ではない。つまり、使用権は、部分的に保有者に属している。使用権は、保有者だけではなく、公共にも属しているのだ。具体的に言えば、使用権を行使して獲得された価値の一部は、税として徴収され、公共に移転する。税率が、使用権のうちのどれだけが（保有者ではなく）公共の方に属しているかを表示している。この税率をどの程度に設定するかということが、ＣＯＳＴを首尾よく機能させるための技術上の鍵である。

　次に排除権（排除する権利）。こちらの方が重要である。私的所有権は、一般には、完全な排除権を要件として含んでいる。何かの財を所有しているということは、その財に対する他者の介入を完全に排除できる、ということを意味している。つまり、私がある財を所有するとは、（私の許可なく）他者がその財を使用することができない、ということを含意している。しかし、ＣＯＳＴにおいては、他者を排除する権利は制限される。ある条件のもとで、保有者は財を他者に譲渡しなくてはならない。次のような仕組みである。財を保有する者は、その財がどれくらいの価値があるのか、自己申告しておく。もし誰かが、その自己申告額でその財を買いたいと申し入れてきたとすると、保有者は、その価格で財を売らなくてはならない。自己申告額は、排除権の「壁の高さ」を意味しており、誰も、財に対して無際限の排除権を主張することはできない。

さて、以上のことを踏まえて、COSTがどのような仕組みなのか、具体的に説明しよう。今述べたように、Aは自分が保有している財Gの価格を自分で評価し、それを公に宣言しておかなくてはならない。その価格をpとしておこう。その価格pに対して、一定の税率tにあたる分が課税される。つまりAは$p\times t$の税を支払わなくてはならない。

ここに、その財Gをより高い価格qで評価する者Bが現れ、財Gを買うことを申し入れたとする（$q>p$）。このとき、AはBに財Gを売らなくてはならない（AのGに関する他者排除権が無限ではないということがここで利いてくる）。このとき、Aには、A自身が自己申告していたGの価格pが、Bから支払われる。今度は、Bが財Gの保有者になり、同じことが繰り返される。つまりBは、$q\times t$の税を支払う義務がある。

この仕組みがどのように働くかを想像してみるとよい。私が今、自分の土地を二〇〇〇万円として申告したとする。税率を一〇％とすると、私は、毎年、二〇〇万円の税を納めなくてはならない。自己申告の金額が小さければ、納税額は少なくてもすむ。たとえば、私がその土地を一〇〇〇万円と申告すれば、税は一〇〇万円ですむ。こう考えると、人は皆、自分の保有する財の額を少なめに申告したくなる……と言いたいところだが、これには、別の危険が待っている。他者に安く買い叩かれてしまうのだ。もし私が、二〇〇〇万円の価値があると思っている土地を、偽って一〇〇〇万円と申告すれば、その土地は、それを一五〇〇万円と評価する誰かに、私自身が申告した偽りの価格一〇〇〇万円で奪われてしまうだろう。

　要するに、私は、土地の自己評価の金額を高く設定しても、低く設定しても損をする。私は、その土地を使って、一年間でどれだけの収益を上げられるかを予想し、それと税率との関係で土地の自己申告額を決めるのが合理的だ。私から土地を買う者は、その同じ土地を使って、私よりも高い収益を上げることができる人――それゆえより高い税を納めることができる人――である。結局、土地は、それの使用によって最も高い収益を上げることができる人に保有され、使用されることになるだろう。このように、財がそれを最も高く評価する者に使用されるように配分されている状態を、配分効率性がある、という[*15]。

　徴収された税はどう使うのか。これこそ、ベーシック・インカムとして、全員に平等に配当すればよい。もともと、財はコモンズである、という前提から導かれたのがＣＯＳＴである。税を均等割にして直接還付することには、合理性と正当性がある。税率は、ベーシック・インカムに相当する額が十分に得られるような水準で設定すればよいだろう。

賃料の問題

ポズナーらが提唱しているＣＯＳＴがベストのやり方だと推奨しているわけではない。ただ、資本主義の根幹にある私的所有の権利を相対化し、コモンズや社会的共通資本の領域を拡大したとしても、十分に活力がある経済を確保できる、ということを納得してもらうために、少なくともひとつは合理的な方法があることを示したのだ。

ＣＯＳＴの中核となる設定は、次の点にある。財は、基本的には共有されている。保有者は、財を所有する共同体からそれを賃借し、使用していることになる。税は賃料である。ＣＯＳＴは、コロナ禍のような状況には非常に強い。新型コロナウイルスのパンデミックにおいて、人々が何に最も困ったかを考えてみると、すぐにその意味がわかる。

多くの人が困ったのは家賃の支払いである。パンデミックで仕事や商売ができないのに、家主に、いつもと同額の家賃を納めなくてはならないからだ。しかし、もし経済がＣＯＳＴによって運営されていたらどうだったただろうか。こういうときには、自分が保有し、使用している土地の自己申告額を下げればよいのだ。パンデミックのときには、土地使用から来る収益が低下するのだから、当然のことである。そうすれば、納税額も、自分が支払いうる程度に下げることができる。もちろん、あまりにも自己申告額を低くしてしまうと、保有する土地を奪われる（買われてしまう）危険もあるわけだが、パンデミックのような、もともと商売ができない状況では、あえて土地を買おうとする人は多くはない（また、買いたい人が現れたとすれば、その人は、パンデミックのもとでも、その土地から利益を上げる自信があるのだから、その人に土地を買ってもらった方がよい）。

いずれにせよ、重要なことは、ＣＯＳＴの具体的な仕組みやその運営の仕方ではなく、その前提を確保することだ。すなわち、私有財産制を破壊し、広範な社会的共通資本（あるいはコモンズ）を確保することだ。こうした前提をもとにした経済の運営の仕方、たとえばＣＯＳＴにいかに合理性があったとしても、資本主義の現状から、そのような経済のシステムへと移行することは、通常では望めない。人々は、資本主義に、その根幹にある私的所有の権利に執着し、そこから自由になれないからだ。この執着を断つためには、コロナ禍のような惨事＝破局を活用するしかない。惨事に対処するために導入される手法、たとえばベーシック・インカムに連なりうる対策が、意図せざるかたちで、私的所有の絶対性を打ち破ることになるからだ。

格差に抗するプロレタリアート

新型コロナウイルスのパンデミックは、現代社会にある経済的不平等（格差）を常時よりもくっきりと浮かび上がらせ、そしてさらに拡大するように作用した——いや、今でも作用しつつある。貧困層と富裕層では、感染のリスクに、そして死亡率に大きな差が出た。その原因ははっきりしている。感染の恐れがあっても労働しなければならない者が、つまり在宅で仕事をしたり休んだりすることができない者が、貧困層の方に圧倒的に多かったからである。また、極端に貧しい者は、早めに病院に行って、検査を受けたり、治療を受けたりすることもできなかったからである。

それにしても、どうして、現代社会において、格差がこれほど大きいのか。その最も大きな原因は、この章で述べてきたことをもとにして説明することができる。それは、本来、社会的共通資本（あるいはコモンズ）であるべきものが私的に所有されている、ということにある。紹介したCOSTの仕組みでは、財を保有する者は皆、一定の率で税を支払わなくてはならない。その財は、共有物だからだ。この税は、格差を生まない。税は誰の所有物にもならず、また——ベーシック・インカムとして——平等に再分配されるからだ。しかし、もし社会的共通資本が誰か特定の個人や企業に所有されていたとしたらどうか。税にあたるものが、賃料（レント）として、その個人や企業に支払われることになる。そうなれば、とてつもなく大きな富が、その所有者に集中することになるだろう。

現在の格差にとりわけ大きな責任があるのは、社会的共通資本としての知識の私有化である。ＩＴ関連の知識や技術は、基本的には、社会的共通資本と見なすべきものの代表である。しかし、それらは、いわゆる「知的所有権」によって私的に所有され、囲い込まれている。ＧＡＦＡ（Google, Apple, Facebook, Amazon）が莫大な富を獲得できるのはどうしてなのかを考えてみるとよい。どうして、ジェフ・ベゾスが世界一の富豪なのかを考えてみるとよい。特定の企業や個人に所有されている技術や知識が「標準」となり、世界中のユーザーに使用されるとどうなるのか。われわれは、それを使用することで、実質的に、さまざまな方法で、その所有者に賃料を払っているのと同じことになる。

標準化しているＩＴ技術・知識に私的な所有権を設定するのは、たとえば、「日本語」とか「英語」とかを誰かの所有物とするのと、基本的には同じことである。われわれが日本語を使うたびに、誰かに――直接的にか間接的にか――賃料が入る仕組みになっていたとすれば、それはまったくバカげたことだと思うだろう。ＩＴ関連の技術・知識の大半は、特定の個人や企業の貢献に帰することができない、集合的な営みの産物である。「日本語」を誰かの発明と見なすことができないのと同じである。この問題――社会的共通資本ないしコモンズの私有化の問題――については、最終章でもう一度確認することになるだろう。

この章で、われわれは、危機への対応を通じて、私的所有の制度を脱構築し、社会的共通資本やコモンズの広範な領域を確保することができるはずだ、と述べてきた。これは、とてつもなく大きくなっている格差（経済的不平等）への対抗策でもある。もちろん、ＣＯＳＴを採用したとしても、格差がゼロになるわけではない。しかし、コモンズや社会的共通資本を、私有財産として囲い込むことができなければ、ある限度を超えた格差は生まれようがない。

コモンズや社会的共通資本を誰かが私的に囲い込めば、必然的に、本来は自分に（も）所属すべきモノを奪われる者が大量に生まれることになる。囲い込まれた社会的共通資本から締め出される者たちが、である。彼らは、現代的な意味でのプロレタリアートだと見なすことができる。そうだとすれば、この章で述べてきたことは、プロレタリアートによる反撃、一種のプロレタリア革命である。

＊1　大澤真幸『「正義」を考える——生きづらさと向き合う社会学』ＮＨＫ出版新書、二〇一一年。

＊2　https://www.ifo.de/publikationen/2020/aufsatz-zeitschrift/die-auswirkungen-der-coronakrise-auf-die-deutsche-wirtschaft　これはドイツの医療状況等を前提にして導いた数字なので、どこにでもあてはまるわけではない。

＊3　私は、ここまで、目下の状況は、「真正の」ソフィーの選択である、と述べてきた。それは、真正ではないケースがあるからだ。たとえば、私は、二〇一一年の3・11原発事故の後になっても、脱原発へと断固とした歩みを進めることができない日本人の曖昧な態度を、「偽ソフィーの選択」と見なすことができる、と論じた（大澤真幸『夢よりも深い覚醒へ——3・11後の哲学』岩波新書、二〇一二年）。

＊4　戦後のソフィーのもとには、あのときに救った男の子もいない。ソフィーはアウシュヴィッツを生き延びたが、男の子は生き残ることができなかったことがわかる。

＊5　以下のアメリカとヨーロッパの事情に関しては、主として次の論考による。本田活邦「可視化されたベーシックインカムの可能性」『世界』二〇二〇年九月。

＊6　山森亮『ベーシック・インカム入門——無条件給付の基本所得を考える』光文社新書、二〇〇九年。橘木俊詔・山森亮『貧困を救うのは、社会保障改革か、ベーシック・インカムか』人文書院、二〇〇九年。

＊7　井手英策「財政とベーシックインカム」、佐々木隆治、志賀信夫編著『ベーシックインカムを問いな

おす——その現実と可能性』法律文化社、二〇一九年。

＊8 井手の試算によると、仮に現在の社会保障給費一二一兆円を全廃したとしても、なお二三％の消費税の引き上げが——つまり消費税を三二％にまで上げることが——必要になる（つまりベーシック・インカムの給付額を、現在の生活保護の水準に設定したとしても、これだけの増税が必要になる）。社会保障を廃止すれば、ベーシック・インカムの財源が確保される、という議論は成り立たない。

＊9 井上智洋『ＭＭＴ——現代貨幣理論とは何か』講談社選書メチエ、二〇一九年。

＊10 普通の答えは、政府がわれわれを保護する等、何かよいことをしてくれるからだ、というものだが、この答えはＭＭＴでは使えない。先に述べたように、ＭＭＴの理論の中では、租税の機能は、政府が公共事業をおこなうことにあるのではなく、まさに租税として納めさせることにあるのだから。モズラーの名刺の例でも、モズラーは、名刺を使って何かよいことを子どもたちにやってあげているわけではない。

＊11 実は、ＭＭＴの説明を受け入れたとしても、問題が残る。岩井克人が指摘しているように、この理論では、納税額に等しい量の貨幣が流通することは説明できても、実際にはそれをはるかに上回る貨幣が流通するのはなぜなのかは説明できない（丸山俊一ほか『岩井克人「欲望の貨幣論」を語る』東洋経済新報社、二〇二〇年、一六四頁）。モズラーの家庭では、ちょうど「三〇枚×子どもの数」だけの名刺の需要があり、子どもたちはそれ以上の名刺を欲することはなかっただろう。だが、現実の市場経済では、納税額よりもずっと多くの貨幣が使われ、流通している。

＊12　ナオミ・クライン『ショック・ドクトリン――惨事便乗型資本主義の正体を暴く』上・下、幾島幸子・村上由見子訳、岩波書店、二〇一一年。
＊13　山森、前掲書。
＊14　エリック・A・ポズナー、E・グレン・ワイル『ラディカル・マーケット――脱・私有財産の世紀』安田洋祐監訳、遠藤真美訳、東洋経済新報社、二〇二〇年、第1章。
＊15　財の使用者に、それをできるだけ有効に活用しようとするインセンティヴを与える状態を投資効率性がある、という。私的所有の制度は、投資効率性は高いが、配分効率性がない。他方で、単純な、何の工夫もない共有の制度は、投資効率性に欠陥があると考えられている。COSTは、二つの効率性をともに確保する工夫である。

第4章　脱成長のための絶対知

1 人新世の危機に抗するために

脱成長コミュニズムという回答

第1章で提起した問いに立ち戻ろう。新型コロナウイルス禍は、人新世のコンテクストにおいてその意味を評価しなくてはならない。それは、人新世に固有の危機のひとつであり、人新世の未来に待っているかもしれない破局の予兆である。だから、こう問わなくてはならないのだった。人新世の破局的な危機に抗するかたちで、どのような対策、どのような社会構想を対置したらよいのか、と。

この問いへの回答が与えることを実行できるとしたら、それは、われわれが、キューブラー=ロスの第五の最終ステージに到達したときだろう。第五ステージに達した者が実行すべきこととは何なのか。破局が、ちょっとした「取引」によっては回避できないことを知った後で、そして抑鬱的な絶望を超えて積極的に、われわれは、どのような社会構想を提起し、実現すべきなのか。それは、当然、われわれの生活様式の根底からの改変をともなうもののはずだが、それは何か。

実のところ、これに対する答えはすでに与えられている。斎藤幸平が『人新世の「資本論」』で提起していること、「脱成長コミュニズム」がその答えだ。脱成長コミュニズムとは、私的所有を超えたコモンズを軸とした社会、生産手段はもちろんのこと地球そのものさえもコモンズ（共有地）として管理する社会である。しかも、その社会は、「脱成長」、つまり経済成長の呪縛から解放されている。

後にもう少し詳しく内容を紹介するが、これだけでも明らかだろう。この脱成長コミュニズムは、われわれが前章で述べたこと、コロナという惨事に真に有効に対応するための構想として提案したオルタナティヴな経済と、基本的には同じ方を向いているということが、である。われわれは、現在のコロナ禍への対抗策の延長線上に、資本主義の根幹となっている私的所有の制度を相対化し、物が――極限においてはすべての物が――コモンズ（あるいは社会的共通資本）であるような社会を提案した。それは、脱成長コミュニズムと同じものではないか。少なくとも、同じものを目指していないか。

まずは、斎藤自身の論述を参考にしながら、脱成長コミュニズムとは何か、それがどのような意味において人新世の破局への効果的な対抗策でありうるのかを見ておこう。[*1]

外部化社会

環境負荷の最も大きな原因となっているグローバル・ノース（いわゆる先進国）のライフスタイルを「帝国的生活様式」（ウルリッヒ・ブラント、マルクス・ヴィッセン）と呼ぶ。帝国的生活様式とは、要するに、先進国の豊かな生活であり、大量生産と大量消費に基づく社会でのみ可能な生活だ。これが「帝国的」とされるのは、この生活様式が、グローバル・サウス（発展途上国）からの資源とエネルギーと労働力の搾取に基づいているからである。

先進国の豊かさには、さまざまな代償が必要になる。その代償は、遠くに――グローバル・サウスに――転嫁され、先進国から見えなくなっている。そのような先進国社会を、社会学者のシュテファン・レーセニッヒは「外部化社会」と呼ぶ。外部化の最もはっきりした形態は、世界システム論（ウォーラーステイン）が指摘してきたこと、つまり労働力の不等価交換だ。周辺国の廉価な労働力を使って生産した商品を買い叩くことで、先進国は利益を得ている。搾取の対象となっているのは、労働力だけではない。その他のさまざまな資源が、ほとんど掠奪に近いかたちで、周辺国から中心国へと移転する。

このことは、環境負荷も不平等に分配されている、ということである。中心国での豊かで快適な生活のために、主として周辺国の生態系が破壊される。「オランダの誤謬《ごびゅう》」と呼ばれる「錯覚」が、一九七〇年代から知られている。オランダのような先進国は、大気汚染も水質汚染の程度もかなり低いので、経済成長を果たしながら、それとともにもたらされた技術進歩のおかげで、環境汚染も克服できた、と考えてしまう。しかし、オランダの環境改善は、資源採掘やゴミ処理などにともなう否定的影響のかなりの部分をグローバル・サウスに転嫁したことのおかげでもある。つまり、因果関係の全体を見たときには、環境汚染は改善されていないのに、先進国で可視化されている部分だけを捉えて、問題を克服したと思ってしまうのが、オランダの誤謬である。

しかし、人類の経済活動が全地球をほぼ満遍なく覆ってしまったために、収奪したり、転嫁したりするための外部がもはやほとんど残ってはいない。これが、人新世という時代だというのが、斎藤幸平の認定である。搾取できる安価な労働力も、収奪できる安価な自然もほとんどなくなった。すると、どうなるか。気候変動が先進国でも可視化されるのだ。たとえば、記録的な台風とか、頻発する山火事といったかたちで、である。

脱成長と脱資本主義

経済成長は、すべての国にとって実現されなくてはならない必須の目標とされている。

そこで、経済成長を果たしつつ、生態系の破綻をも避けるという「緑の経済成長」が目指されることになる。この緑の経済成長のために、大型の財政出動や公共投資がなされれば――たとえば再生可能エネルギーや電気自動車の開発と普及のために公的資金が投入されれば――、それは、気候ケインズ主義ということになる。

普通は、経済成長すればするほど、環境負荷は増大する。とりわけ経済成長とともに、二酸化炭素の排出量も増加する。しかし気候ケインズ主義を支える緑の経済成長が可能なためには、経済成長の伸び率と二酸化炭素排出量の伸び率との間の相関関係を断ち切る「デカップリング」が実現しなくてはならない。特に排出量の絶対量を減らしつつ、経済成長を実現する絶対的デカップリングが必須だ。

しかし、斎藤は、理論的にも、またデータによって示されている経験的な事実から判断しても、絶対的デカップリングは不可能だということを説得的に示してみせる。見落とされがちな因果関係のひとつに、一九世紀の段階ですでに知られていた「ジェヴォンズのパラドクス」がある。これは、ウィリアム・S・ジェヴォンズが『石炭問題』（一八六五年）で指摘した逆説である。当時のイギリスでは、技術革新によって石炭の効率的な利用が可能になった。これによって、無駄が小さくなり石炭の使用量が減ることが期待されたわけだが、実際には、逆に石炭の消費量は増えてしまった。石炭が安くなったことで、さまざまな部門で石炭が使用されるようになり、全体として石炭の需要が大きくなったからである。同じことは、現在でも起きるだろう。つまり、新技術が開発されて効率性が向上すれば、その分、二酸化炭素の排出量も減ることが期待されるのだが、実際には、そうならない。なぜなら、その分商品が低廉《ていれん》化したせいで、かえってその商品の消費量が増加してしまうからだ。

大気中から二酸化炭素を除去する技術（ＮＥＴｓ）を開発しよう、という提案もある。しかし、この夢の技術は、学者たちの「知的お遊び」の域を超えない。資本主義の「脱物質化」（より少ない資源でより多くのことを請け合うこと）という傾向も、またＩＣＴ（情報通信技術）を駆使した認知資本主義も、デカップリングにはほど遠い。

緑の経済成長という発想は、結局、破局へと向かう厳しい現実からの逃避でしかない。キューブラー＝ロスの図式をあてはめれば、これは、典型的な「取引」である。成長という生命線だけは残して、その他の多くを犠牲にしようと、運命と交渉するわけだが、まったく取引は成り立たない。結局、「脱成長」の道を選ぶほかない、というのが斎藤の結論だ。

もっとも、脱成長や、ゼロ成長を目指す定常型経済への移行を唱えているのは、斎藤だけではない。しかし、そのような論者もほとんど、資本主義を手放すことはない。資本主義の枠内での脱成長を主張しているのだ。しかし、斎藤によれば、それは矛盾した要求だ。経済システムにとって成長が死活的に重要なのは、そのシステムが資本主義だからだ。経済成長は制度でもないし、法律や憲法によって命じられているわけでもない。それでも経済成長が絶対的に要請されるのは、資本主義だからだ。資本主義とは、資本蓄積（価値増殖）が無限になるシステムだ。どこまでも資本蓄積をめぐって競争しない限り、このシステムでは、敗者として退出せざるをえなくなる。資本主義を維持する限り、経済成長への指向は持続する。

たとえば、ジョセフ・E・スティグリッツは「プログレッシヴ・キャピタリズム（進歩的資本主義）」ということを唱えている。労働者の賃上げや富裕層・大企業への課税、独占の禁止の強化、民主的な投票の強化、社会保障費の拡充などがなされて、公正な資本主義が実現すれば、さまざまな社会問題は解決するだろう、と。だが、法人税の増税や社会保障費の拡充が可能ならば、それらはとうの昔に実現されていたはずではないか。一九七〇年代に利潤率が低下したとき、資本主義は、規制を撤廃し、法人税を引き下げることによってのみ生き延びることができたのだ。[*2] スティグリッツが資本主義に求める公正性は、資本主義が持続するためには捨て去るほかなかったものである。

持続可能性と社会的平等

したがって、破局を回避するためには、資本主義の死を受け入れなくてはならない。つまり、コミュニズム——脱成長コミュニズム——しかない。地球そのものも「コモンズ」のひとつとして管理するような、コモンズを中核にした社会システムだ。このように、斎藤は議論を展開する。

さらに、斎藤は、晩期マルクス（『資本論』第一巻を執筆した後のマルクス）についての研究を手掛かりにして、コミュニズムの内容をより明晰なものにしようとする。残されたマルクスの研究ノートや書簡から、晩年のマルクスは、二つの分野の研究に熱中していたことがわかる。ひとつは、エコロジーに関係する自然科学。もうひとつは、ゲルマン民族の「マルク協同体」など前近代の共同体の研究。それらから、マルクスはひとつのことを発見した——と斎藤は推測する。「持続可能性」（経済成長しない定常型社会）と「社会的平等」（私的所有を否定するコモンズ）とは密接に連関している、と。そこから、西欧資本主義が目指すべきコミュニズムの構想も出てくる。それは、経済成長しない——経済成長をあえて拒否する——循環型の定常型経済をもつシステムである。

脱成長コミュニズムに向けて、具体的には何をなすべきなのか。それが五つのテーゼとして提起される。

第一に、経済の重心を、「価値」から「使用価値」へと転換すること。「価値／使用価値」はマルクスの用語である。価値（≒交換価値）は、貨幣の量によって測られる。使用価値は、人の欲求を満たすその物の性質である。「価値」から「使用価値」への転換によって、大量生産・大量消費から脱却できる。

第二に、労働時間を削減すること。このことによって生活の質が向上する。第三に、分業を廃止すること。その目的は、労働の画一性を廃して、労働に創造性を回復させることにある。第四に、生産過程を民主化すること。その効果は、経済の減速として現れると想定されている。第五に、労働集約型のエッセンシャル・ワーク（≒ケア労働）を重視すること。これは、コロナ禍を通じて、われわれが学んだことでもある。

2　悪い報せとよい報せ

第五段階は遠い

斎藤幸平による「脱成長コミュニズム」の構想を概観してきた。以上に見てきたように、人新世の危機に対してはこの構想しかない、という主張には非常に説得力がある。この結論には、われわれも賛成だ。

だが、まだ考えるべきことが残っている。この結論に到達するためには、人はまず、資本主義の死を受け入れなくてはならない。この結論は――先にも述べたように――キューブラー＝ロスのあの図式を用いるならば、第五のステージに到達した者のみが選択できるような、圧倒的な大胆さを含んでいる。だが、そもそも、われわれは第五のステージに行くことができるだろうか。どうしたら、その精神的な境地に到達することができるのだろうか。

資本主義の死を受け入れることは、著しく困難だ。そのことを、われわれは第2章ですでに確認している。普遍的連帯への動きがどうして生じないのか、ということを探究するなかで、人々の資本主義への執着がいかに強いかを見たのだった。新型コロナウイルスのパンデミックによって、資本主義はいったん死んだ……と言ったら言いすぎかもしれないが、少なくとも一瞬、仮死状態になった。一九二九年の大恐慌のときよりも、また二〇〇八年のリーマンショックのときよりも死に近づいた。このことはあまりにもあからさまだったから、人は皆、不安を抱いたはずだ。資本主義はほんとうに死ぬのではないか、と。にもかかわらず、株式市場は、この死を否認したのだった。

さすがの株式市場も一瞬だけひるんだが――つまり株価は一時的には暴落したが――、その後、すさまじいまでの徹底ぶりで、資本主義の死を否認した。これは、キューブラー＝ロスの図式で測れば、第一段階の態度にあたる。第五段階どころではない。第五段階にまで行くことなど、そもそも可能なのか。

加速主義の躁と鬱

だが、よい報せ、よい兆候を見出しえないわけではない。一見、最も悪い報せの中にこそ、よい報せが隠れている。よい報せとは、左派加速主義者として知られている一群の人々の主張である。

（左派）加速主義は、脱成長コミュニズムとは正反対のコミュニズムだ。資本主義に内在している経済成長へのポテンシャルをますます加速させることによって、逆説的にコミュニズムを実現させようというわけだ。資本主義は、もともと経済成長を煽《あお》るシステムであり、その意味で、最初から加速主義的である。その資本主義の加速主義的側面をさらに強化しよう、そうすれば資本主義はコミュニズムに脱皮する、というわけである。

環境破壊が人類的な危機であることは加速主義者もよく自覚している。イギリスのジャーナリストでこの立場の主唱者の一人アーロン・バスターニは、グローバル・サウスの人口増加と地球規模の気候変動が、文明の存否を決めるような課題だと述べている[*3]。グローバル・サウスの人口増加と経済発展は不可避だし、それを積極的に許容しなくてはならないが、そのことが、耕作地の面積を増大させる等、気候危機の原因となる。人口増加や経済発展は不可避かつ必要だが、不可逆的な気候変動もまた困る。どうしたらよいのか。

だがだいじょうぶだ、とバスターニは述べる。すべては技術革新が助けてくれる、と。たとえば、工場で人工肉が生産されればどうか。畜牛のための膨大な土地が不要になる。遺伝子工学が発達すれば、人は大半の病から解放されるし、オートメーション化が進めば、労働からも解放される。そして、電力は、太陽光によって確保すれば、無尽蔵でありかつ、クリーンでもある。生産性が高まれば、あらゆる物が低廉化して、入手しやすくなる。こうして各人が欲しいものが必要な分だけ得られる豊かな社会がやってくる……というわけである。

このように、加速主義は、脱成長コミュニズムとは真っ向から対立している。脱成長コミュニズムは減速主義である。斎藤幸平は、加速主義を、極端な現実逃避であり、ただの開き直りだとして、嘲笑的に斥《しりぞ》けている。生産力を加速度的に発展させれば、ごく普通に予想されることが起きるだろう。すなわち、環境汚染そのものの加速化である。ジェヴォンズのパラドクスのことを思い返しておこう。生産力の発展、つまり生産性の向上によって物の価格が低下すれば、その物への需要は大きくなり、生産も拡大する。その結果、ますます二酸化炭素の排出量は増えるだろう。

加速主義へのこうした批判はすべて正しい。加速主義のようなものが登場することは、脱成長コミュニズムに加担する者にとっては悪い兆候だということになる。しかし、ここで、加速主義の流行を精神分析的に解釈してみたらどうか。加速主義の論理は、政治的・社会的な主張としてそもそも成り立ってはいない。なぜなら、彼らが究極の決め手としているのは、未だ存在しない空想的な技術なのだから。そういうものがあればいい。なるほどそうだとしても、そういうものがなければどうしようもない。なぜ、彼らは、実現するかどうかもわからない――少なくとも当分は実現しそうもない――空想的な技術に頼るのか。

それは、彼らの目から見て、生態系の破綻へのトレンドが、そうした技術によって対抗しなければ止めることができないほどに強いものになっている、ということではないか。そのトレンドは、われわれが現在有している技術によっては、とうてい押しとどめようがないことを、彼らも知っているのだ。とするならば、加速主義者は、現在の成長指向が継続すれば、資本主義そのものが破綻することをわかっていることになる。

キューブラー＝ロスの図式の第三のステージ「取引」が、限界を超えようとしている、と思えばよい。破局へと向かう運命と取引しようとして、人はまず、現存の技術を提供する。だが、それだけでは全然足りない。そこで、人は信用取引のようなことを始めたのだ。まだ実現していない技術の対価として、破局への動きを止めてはくれないか、と。だから、加速主義の躁的な楽天性は、第四段階の「抑鬱」の反面である。非現実的な技術や装置についての夢にでも埋没しなければ、鬱に陥ってしまうのだ。

キューブラー＝ロスの第五段階にまで至らなければ、脱成長コミュニズムは賛同を得られないだろう。加速主義の（一部の論客の間での）流行は、少なくとも、第四段階にまでは人類が来ていることのひとつの証拠である。ならば、あと一ステップである。こう考えれば、加速主義のような、もう少しで「トンデモ」になりそうな思潮もまた、朗報のひとつである。

余れば余るほど足りなくもなる

だが、脱成長コミュニズムは、いかに正しくても、なお問題がある。はっきり言えば、それは魅力に欠ける。人を惹きつけるものがない。どんなに正しくても、最終的には、人の自然な衝動と順接しなくては、その思想は、抑圧的なイデオロギーに転化してしまう。脱成長コミュニズムには何が欠けているのか。

「脱成長」「反成長」「定常型経済」などを掲げると、人は清貧の思想のようなものを思ってしまう。豊かさを犠牲にしなくてはならないのか、貧乏に耐えなくてはいけないのか、と。だが、それは誤解である。

資本主義は人を全般的に豊かにするもの、経済的に富ませるものだと思われている。しかしまず、それがまちがっている。貧困・欠乏は、本質的に資本主義に内在しているのだ。

資本主義がなければ、貧困もない。斎藤は、この点もまた、説得的に論じている。[4] 資本主義には逆説がある。余れば余るほど足りなくなる、とでも言うほかないような逆説が、である。一方には、物の過剰があり、他方には、物の欠乏がある。両者を均《なら》せば問題は解決しそうに見えるのだが、それができないのが、資本主義である。資本主義の根幹でもある価値増殖が前提としている「搾取」、その搾取のために必要な差異が、この「過剰／欠乏」として現れているからだ。

マルクスは、資本主義的な搾取の前提となる差異の創出を、「資本の原始蓄積」と呼んだ。原始蓄積は、資本主義の始まりにおいて、一回だけ生ずるわけではない。資本主義が存続している限り、常に原始蓄積は反復されている。こうして資本主義は、「階級」という差異を必然的にともなうことになる。[5] 長い間、「外部化」のおかげで、つまり収奪の主要な現場をグローバル・サウスに転嫁したせいで、先進国では、階級の厳しい格差が不可視化していた。今や、外部化にも限界が来ている。階級の格差は先進国に逆輸入されてきたのだ。

資本主義を捨てれば貧しくなるわけではない。逆に、資本主義の中にいるからこそ、大半の人は貧しいのだ。だから、脱成長コミュニズムの魅力の欠落は、それが清貧の思想のようなタイプの禁欲を強いるからではない。問題は別のところにある。

脱成長コミュニズムに暗い影が入るのは、それがどうしても、自由の制限を含意してしまうからだ。

自由の制限？

資本主義の最大の魅力は、「自由」にある。今、自由についての最もシンプルな概念に依拠しよう。つまり、「積極的自由」とか、（アマルティア・センの言う）「潜在的能力（ケイパビリティ）」とかといった複雑な概念に依拠せず、消極的自由を基準にとってみよう。消極的自由とは、他者からの強制がない状態を指す。[*6] そのような意味での「自由」に関してならば、資本主義は、人類がこれまで構築してきた社会システムの中で最も大きな自由を個人に配分するシステムである。

もちろん、資本主義が与える自由は欺瞞《ぎまん》だという論は成り立つ。たとえば、労働者は実質的には奴隷である――労働時間の間だけ資本家にレンタルされた奴隷である――とする認定には十分に根拠がある。とはいえ、それでも、労働者は、形式的には自由な契約のもとで雇用されている。が、そうした契約も、実質的には強いられたものだとする論がまた成り立ちうる。

このように何重にも留保がつくわけだが、それでもなお、資本主義は、個人の消極的自由を最大化したシステムである、という命題は、基本的なレベルでは妥当である。脱成長コミュニズムは、この自由に制限を加える。それが、脱成長コミュニズムが息苦しさを与える理由である。この場合、自由を制限する他者、消極的自由の範囲を狭める他者は誰なのか。未来の他者、未だ生まれてもいない将来世代だ。持続可能性を考慮に入れて、脱成長型の社会を選択するということは、未来の他者の要求に応じること、未来の他者の呼びかけに応えることを意味している。

それは、正しいことだろう。われわれは未来の他者の利害を損ねることがないように、化石燃料を使いすぎてはならず、二酸化炭素の排出量を抑制しなくてはならない。これが文句なしに正しかったとしても、資本主義においてすでに享受していた自由の放棄をともなうとすれば、脱成長コミュニズムを実行に移すうえでの障害となるだろう。単に正しい思想として唱えるだけではなく、それを社会的に実効性のあるものとして実現しようとするならば、消極的自由の制限をともなわなくてはならないという事実は、大きな躓《つまず》きの石となる。

二〇世紀の経験が政治思想に与えた教訓を思い起こさねばならない。二〇世紀は冷戦の時代だった。冷戦とその決着の仕方から得られることを、思想的に最も高い水準で解釈するならば、それは、結局「自由の優越」として要約されるだろう。自由を上回る理念をもとうとするシステム、自由そのもの以外の理由によって自由を抑制しようとするシステムは結局、敗者にならざるをえない。二〇世紀において、結局、その種のシステムは、「熱戦」を経ずして解体し、自滅したのであった。

だから、脱成長コミュニズムが社会的な実質をもつためには、この問題を克服しなくてはならない。

サマリア人のように

目の前の他者の呼びかけに応えることすら、難しい。まして、未だ存在しない未来の他者の呼びかけを受け取り、それに応えることなどできるのだろうか。

順を追って考え直してみよう。今、目の前にいる他者に応ずることも難しいと述べたばかりだが、逆も言える。目の前の他者が切実に助けを求めてきているとき、それにまったく応えないこと、それを完全に無視することもまた難しい。確かに、困っている人を見たとき、誰もがその人を助けようとするわけではない。本気になって助ける人の方が少ないかもしれない。しかし、それでも、助けを求める他者の声を聞いてしまったとき、それを無視して素通りすれば、ほとんどの人は、そのことに罪や恥の感覚を覚えずにはいられない。他者の切迫した呼びかけは、人を動かす力がある。

　イエス・キリストが語った「善きサマリア人の喩え」を思い起こしてみよう（「ルカによる福音書」一〇章、二五―三七節）。エリコに下る道で、強盗に襲われ瀕死の状態で倒れていた旅人を、祭司とレビ人は、あえて避けて通って行ってしまった。サマリア人だけが、旅人を介抱し、宿に連れて行ってやり、旅人の代わりに宿賃まで支払った。この喩え話は、サマリア人のような真の「隣人」は稀《まれ》であることを示唆している。

　ここで、次のように問うてみよう。旅人の求めを察知して、旅人を助けたとき、サマリア人の（消極的）自由は奪われたことになるのか。このとき、サマリア人の自由が制限されたと見なすべきではない。彼はいやいや旅人を助けているわけではないからだ。サマリア人は、そうしないではいられなかったのだ。彼は、もちろん、楽しかったわけではあるまい。彼がもともと意図していたことが阻害されたり、計画が変更されたりしたことは明らかだ。しかし、倒れている旅人を助けることは、このときサマリア人の自然な衝動に合致していたことだ。旅人の無言の呼びかけに応ずることは、サマリア人にとって自由の制限どころか、逆に、彼の自由の行使そのものである。

　このように、他者の呼びかけや要求に応ずることが、常に自由の制限を意味するわけではない。逆に、他者の呼びかけを通じて、自由が構成されることさえある。だが、他者の呼びかけにこうした効果があるのは、他者が、この私に対して、その生《なま》の姿を現前させているからではないか。見えない他者には、そのような効果はないのではあるまいか。述べてきたように、先進国（グローバル・ノース）は、搾取や略奪をグローバル・サウスへと外部化してきた。おかげで、搾取に苦しむ他者たちは、先進国の中で暮らしている人には不可視である。先進国の人々は、祭司やレビ人と同じようにふるまっているのだが、良心の呵責《かしゃく》に苦しむことはなく、「オランダの誤謬」のようなかたちで自分を誇ることさえできる。

　未来の他者が、現在のわれわれに、エリコへの道で倒れていた旅人のように呼びかけてきているのだとしたらどうだろうか。われわれが、善きサマリア人のように、未来の他者の呼びかけを感受できたとしたらどうだろうか。このとき、未来の他者の呼びかけに応じたとしても、われわれの自由は奪われたことにはならない。むしろ、われわれの自由のひとつの実現として、脱成長コミュニズムを実行したことになる。

未来の他者への応答

だが、未来の他者は、われわれにとって、グローバル・サウス以上の外部である。グローバル・サウスは、確かに空間的には外部だが、われわれと同時に共存している。未来の他者は、時間的な外部であって、（未だ）存在してすらいないのだ。

とはいえ、希望がないわけではない。同じように（いま）存在しない他者でも、死者（過去の他者）には、われわれはしばしば縛られるからである。われわれは死者の呼びかけや期待に応じようとする。たとえば、死んだ父の願っていたことだから……等と。死者を裏切ることは、生きている者を裏切るよりも、ときに難しいほどだ。過去の他者の呼びかけに応えられるのだから、未来の他者の呼びかけに応えることもできるのではあるまいか。

未来の他者を――現前する他者と同じように――リアルに実感できれば、われわれは自らの自由な選択として、その呼びかけに応ずることができる。しかし、そんなふうに未来の他者と出会うことは可能なのか。未だ存在していない他者、つまりグローバル・サウスよりも、死者（かつて存在していた他者）よりもはるかに隔たった外部の他者。そのような他者の呼びかけを、切迫したものとして聞き取ることは可能なのか。

問題が一巡してきたことがわかる。ここで言う〈未来の他者〉とは、このままではやがて確実に到来する破局に苦しむ他者のことである。とすれば、結局、いかにしてキューブラー＝ロスの第五のステージに到達することができるのか、いかにして終末の破局を直視し、かつ前向きにこれに対抗することができるのかという問いと、〈未来の他者〉といかにして出会うことができるのかという問いは、まったく同じものになる。

3　交換価値か、使用価値か

交換価値よりも使用価値を重視する

逆方向から考えてみよう。つまり、到達目標の方から遡るように、考え直してみよう。第1節で述べたように、斎藤幸平によれば、脱成長コミュニズムに向けて具体的になすべきことは五つある。いずれも難しそうなことだ。どのひとつをとっても、たやすく実現できるとは思えない。

たとえば、分業を廃止せよ、とされる。現在の分業体制の中では、しばしば労働は画一的で単調な作業になる。労働を創造的で魅力的なものにするには、生産現場が、誰もが多種多様な労働に従事できるように設計されていることが望ましい。そうすれば、たとえば「精神労働と肉体労働の対立」のようなものも克服される。……このように言われるわけだが、小規模で単純な社会であればともかく、大規模で複雑な社会で、つまり専門化が極端に進捗している社会で、こんなことは可能なのか。

五つの事項のいずれも容易には実現できないだろう。とはいえ難易度は一律ではない。これら五つの中で最も困難なことは、一見、最も簡単そうなことである。そして、その最も困難なひとつのことさえ実現すれば、困難そうに見える他の四つも自然と現実のものとなるだろう。最難関な一事とは、最初に挙げられていること、「交換価値よりも使用価値を重視するような経済への転換」ということだ。

なんだ、そのくらいのことならばさして難しくはない、と思うだろう。交換価値（貨幣）よりも、使用価値（商品）の方が大事なことは明らかだからだ。もともと、われわれが貨幣を用いるのは、それによって得られる商品の使用価値が目当てだ。心がけ次第で、いくらでも交換価値ではなく、使用価値に重きを置いて生きることができるように思える。

だが、そうはいかないのだ。人は皆、ほんとうに大事なものは、使用価値だということはわかっている。貨幣（交換価値）には、まさに貨幣として使いうるということ以外には、いかなる実質的な価値（使用価値）もないのだから。貨幣は、使用価値を得るための手段でしかない。……といったことは誰もがわかっている。にもかかわらず、人は、使用価値ではなく、交換価値の方を——厳密には交換価値の増殖を——目的として行動するようになる。これこそが、資本主義という現象である。使用価値が大事だ、と人々が理解すれば、資本主義から脱することができるのであれば、とうの昔にそうなっていただろう。いや、そもそも資本主義など生まれなかっただろう。資本主義の頑強性は、使用価値に対する交換価値の優位がどうしても崩れないことに由来する。

W—G—W′からG—W—G′へ

マルクスの流通の公式を使えば、次のように表現することができる。端緒にあるのは、W—G—W′という循環である。Wが商品（Ware）を、Gが貨幣（Geld）を表している。ある商品W′を得るために、自らが所有する物Wを売って、貨幣Gを得る。その貨幣Gによって、欲しかった物W′を獲得する。この循環は、資本以前のものである。

この循環が、G—W—G′に反転したとき、資本が誕生する。今や、目標は、使用価値WではなくG、価値増殖、増殖した貨幣G′＝G＋ΔGとなる。ΔGが剰余価値である。一方の当事者で、W—G—W′の転態が生じているとき、他方の当事者では、G—W—G′の転態が生じているのだから、両者は同じことだと思うかもしれないが、そうではない。前者を基軸として展開しているのか、後者を基軸にして展開しているのかでは、経済はまったく異なった様相を呈する。

W—G—W′と違って、G—W—G′の運動には、終わりがない。いったん終極G′を迎えても、それがすぐに、次の循環の起点となる。貨幣Gを投資して、労働力を含む商品Wを購入し、最終的に剰余価値ΔGをともなったかたちで貨幣G′を回収する。このようにして環流してきた貨幣G′は、すぐに再び投資される。こうして同じ形式の循環G—W—G′が繰り返される。これが終わりのない価値増殖であり、資本蓄積の無限化である。

資本主義とは、このG—W—G′の循環を基軸として経済が展開している社会システムである。G—W—G′は、第2章第6節で述べた、二種類の時間の総合としての資本主義的な時間の様態を表現している。これは、G′を終わり（＝目的）とする終末論的で直線的な時間であると同時に、（W′ではなく）G′が終端にあるがゆえに次の循環へとただちに結びつく円環的な時間でもある。そして、この無数の反復的なＧ—Ｗ—Ｇ′が全体として、大きな、いわばメタレベルの「Ｇ—Ｗ—Ｇ′」の中に包摂されている。

循環公式Ｇ—Ｗ—Ｇ′は、人の欲望のあり方そのものの変化を表現している。その変化は、概念の特殊性と普遍性の間の関係として記述することができる。

本来、普遍性とは、実在する、それぞれに特殊な事物の有する属性にすぎず、それ自体は実在ではない。その事物の有する性質が、他の諸事物の性質と共通しているとき、「普遍的」として性格づけられるのだ。普遍性がこのように位置づけられている限りは、それは、それぞれに特殊な事物への付属品のようなものである。これは、流通が、使用価値（特殊な事物）を中心にして展開している状態に、つまりＷ—Ｇ—Ｗ′に対応している。

しかし、特殊性と普遍性の間の論理的なプライオリティの関係に逆転が生ずる。すなわち、特殊性が、抽象的な普遍性のひとつの表現として位置づけられるようになる。こうなると、普遍性がそれ自体として欲望の対象となり、実在する実体性を獲得する。実体化した普遍性こそが貨幣である。貨幣は、任意の特殊な商品に転換できるからだ。この段階こそ、Ｇ—Ｗ—Ｇ′の公式に対応している。この循環を通じて、抽象的な普遍性（価値）は、さまざまな具体的商品（使用価値）として受肉しつつ、そのたびに自分自身へと回帰する。マルクスが「商品の物神性」と呼んだのは、このような事態である。それぞれの特殊な商品は、抽象的な普遍性の具体化としてのみ欲望の対象になっている。

貨幣による使用価値の締め出し

W―G―W′からG―W―G′への転換は、倫理学者が、行動経済学の実験をもとに「市場による道徳の締め出し」と呼んでいる現象と関係がある。[*7]「市場による道徳の締め出し」が何を意味しているのか、具体的な実験例で解説しよう。

　障害児援助等の有意義な事業に必要な資金を得るために、家々を回って寄付を募る高校生を三つのグループに分ける。第一のグループは、寄付の重要性を説くスピーチを聞かされた後、すぐに募金活動に送り出された。第二、第三のグループも同じスピーチを聞かされるのだが、同時に、集めた金額に応じた金銭的報酬が出ると告げられる。それぞれのグループに与えられる報酬は、集めた金額の一%、一〇%という歩合だった（報酬の財源は、集めた寄付金とは別である）。

　どのグループが最も多くの寄付を集めるのに成功したのか。貨幣による報酬――経済学者が言う金銭的なインセンティヴ――が大きい第三グループが最大の寄付を集めるだろうと予想されるところだ。実際、第三グループの成績は第二グループよりもよかった。しかし、最も多くの寄付を集められたのは、第三グループではなく、金銭の面では無報酬の第一グループだったのだ。つまり、最も熱心に寄付集めの活動をおこなったのは、第一グループだったのである。第三グループが第二グループよりも成績優秀だった理由はすぐに理解できる。だが、その同じ理由が作用しているならば、第一グループが最下位になるはずだが、まったく逆の結果となっている。どうしてなのか。

貨幣という報酬が与えられることで、善行の性質が根本的に変わってしまったからである。高校生は、善い目的への使命感をもって募金活動に取り組もうとしていた。しかし、貨幣的な報酬が提供される設定になったとたんに、それは善行ではなく、一種の賃労働――自分自身の利益のための労働――に変質してしまったのだ。実験から、公共的な善のための使命感の方が、貨幣的な報酬よりも高校生を強く動機づけていたことがわかる（第一グループが第三グループより好成績）。にもかかわらず、公共善のための活動にわずかでも貨幣的な報酬がともなうと、人は主として貨幣的な報酬のために活動するようになる（第三グループが第二グループより好成績）。これが、「市場（行為を貨幣的インセンティヴによって商品や賃労働にすること）による道徳（善なる目的への奉仕という行為の意味）の締め出し」という現象である。
貨幣という報酬が得られることで締め出されるのは、行為の倫理的な意味（道徳）だけではない。このことは、次のような実験からわかる[*8]。ちょっとした創意工夫や認知的なひらめきのようなものが必要となるパズルやゲームを被験者にやらせる。その際、被験者を次のようにグループ分けする。まず、課題を単に解くだけで、いかなる報酬もないグループがある。他のグループでは、成績優秀者には――他の人より速くパズル等を解けた優秀者には――金銭的な報酬が与えられる。優秀者に与えられる報酬も、低額のグループと高額のグループの二段階に分けておく。

その結果は、まったく驚くべきものである。無報酬のグループが最も成績がよい（課題を解くまでの平均時間が最も短い）。そして、優秀者（勝者）が得る報酬が大きい方が、そのグループの成績が悪くなる傾向がある。金銭的な報酬を得ようとがんばっているグループの方が、成績が悪いのだ[*9]。

こうした実験結果をどのように解釈すればよいのか。行為には、その具体的な特殊性に応じた、直接的な、それ自体としての価値がある。寄付集めの行為は、障害児支援に役立っており公共善に貢献している。あるいは、パズルを解くことはそれ自体で十分におもしろい遊びである。ところが、貨幣という報酬が与えられたとき、貨幣に示される価値によって、具体的な行為のもつ特殊な価値が締め出されるのだ。パズルを解くゲームに報酬が入ると、パズル解き自体がもつ楽しさが半減し、なんと――本人はまったく自覚がないはずだが――インスピレーションすらわきにくくなるのだ。実験結果は、純粋に楽しんでいるときには出てくるような発想やひらめきが、金銭的な報酬が大きくなればかえって出にくくなっていることを示している。[*10]

「(交換)価値よりも使用価値に重きを置け」という提案は、このような貨幣的な価値による、行為の具体的で特殊な価値の締め出しに抵抗すべきだという提案に等しい。

手段と目的の反転

だが、この現象の、つまり「貨幣において示される抽象的な価値による、行為の特殊で具体的な価値の締め出しという現象」の奇妙さを、十分に踏みとどまって考えておく必要がある。

報酬として貨幣が得られるようにしたことで、価値が行為に加算されるわけではない。つまりそのことで行為の価値が高まるわけではない。募金活動にアルバイト料を支払うようにすると、その行為は、公共善に奉仕する価値をもち、そのうえで、募金者の利益にもつながるわけだから、一石二鳥であって、無報酬の募金活動よりも行為としての価値が高まりそうに思えるが、そうはなってはいない。あるいは、それ自体でも十分におもしろいパズル解きに、金銭的な報酬が加われば、このパズル解きは、ますます価値が高まり、被験者の「やる気」を高めるのではないか、……こう推測したいところだが、実験結果は、そのような推測が誤っていることを示唆している。

行為それ自体がもっていた特殊で具体的な価値に貨幣的価値を重ねたときには、必ず後者が勝ってしまう。後者だけが活き、前者が締め出されるのだ。驚きは、行為者当人には、前者の方がより魅力的に見えているはずであるにもかかわらず、そうなるということである。純粋な善行として募金活動をしているときの方が、賃金を得ることができる労働として同じことをやっているときよりも、人は強く動機づけられ、熱心にその行為にコミットしている。貨幣という報酬が与えられたとたんに、その行動は、当人にとっては主として賃労働となって、善行としての意味は失われる。そして同時に、本人の熱意も低下する。客観的には、その募金活動が公共善に貢献しているという事実は失われてはいないにもかかわらず、である。

どうして、より魅力的で、高尚にも見える具体的な価値が、市場的・貨幣的な価値に呑み込まれ、締め出されてしまうのか。これこそ、先に述べた普遍性と特殊性との間の独特の関係によって、つまりマルクスが言うところの商品の物神性によって説明されることだ。どのような論理によって、物神性が生まれるか、あらためて解説しておこう。

もともと、貨幣は、任意の使用価値を得ることができる普遍的な媒介、普遍的な手段である。言い換えると、貨幣は、任意の特殊な目的に――任意の具体的な使用価値の獲得に――奉仕することができる。そうであるとすれば――貨幣さえ獲得すれば、それを任意の使用価値へと転化することもでき、どのような特殊な目的の実現へもつなげうるのだから――逆に貨幣的な価値の獲得は、任意の使用価値の獲得や任意の特殊で具体的な目的を、その内部に手段として包摂するような、普遍的な高次の目的へと転化しうる。貨幣は、普遍的な手段であるがゆえに逆に、すべての使用価値を自らの手段として下属させる高次の目的へと転化するのだ。

貨幣によって表示される価値は、特定の内容をもたない抽象的なものだが、述べてきたような機序を通じて、任意の使用価値がそれの具体化であるような普遍的な目的として位置づけられるようになる。G―W―G′という循環は、こうした関係の端的な表現になっている。交換価値Gは、さまざまな具体的な使用価値（具体的な目的）Wへと受肉しながら、循環し続けるのである。本来、普遍的な手段であった貨幣が高次の目的へと転換すると、個々の具体的な使用価値やそれぞれの具体的な行為の価値は、色あせた、魅力のないものへと変容する。一般に価値が高貴さを帯びるのは、それが終極的な目的として位置づけられているときだからだ。使用価値Wが、普遍的な交換価値Gを得るための手段へと転化したときには、目的としての終極性を失い、その意義は相対化される。（公共善に貢献する）倫理的な行為や（それ自体で快楽をもたらす創造的な遊びのような）審美的な行為が、貨幣的な報酬を与えられたとたんに、魅力を失うのはそのためである。

　ここでもう一度、第2章第6節で述べたことを思い起こしておこう。資本主義では二種類の時間が総合していると述べたわけだが、今ここに述べたことは、その総合の倫理的な意味であり、そして心理的な効果でもある。

4　科学知の運動

ヘーゲルへ

資本主義は、普遍性（交換価値）と特殊性（使用価値）の間に転倒した関係が生じたときに生まれる。この転倒は、ちょっとした心がけで正すことができるものではない。とすれば、われわれは次のように問題を設定するほかない。内側から、この転倒を破ることはできるか、と。この問いは、ずっと問い続けてきていること、すなわちキューブラー＝ロスの第五ステージに到達することは可能かという問題の変形でもある。資本主義の内側から、第五ステージに行くことはできるのか。

ここでわれわれの考察の助けになるのはヘーゲルである。マルクスは、見てきたように、資本に固有の循環を、普遍性／特殊性という概念の間の関係として捉えうるとしたわけだが、それは、彼が資本を、ヘーゲルの論理で説明しようとしているからである。マルクスの直観は、資本の運動は、ヘーゲルが「精神」や「概念」に見出した論理に基づいてこそ説明可能だ、という点にある。ヘーゲルの哲学にあっては、精神や概念は、自己運動していく。それと同じように、貨幣や資本のダイナミズムは説明できる。

　ヘーゲルの『精神現象学』を貫く基本的な着想は、その序文にある有名な宣言に表明されている。「真なるものを実体としてではなく、むしろ同様に主体として把握し、表現する」[*11]。この宣言にそうかたちで、マルクスは、価値という実体＝貨幣は、同時に主体でもあると見なした。主体化した貨幣こそが、さまざまな特殊な使用価値へと具体化しながら増殖し、循環する資本である。

　資本がヘーゲルの論理にそうかたちで運動しているのだとすれば、マルクスからさらにヘーゲルにまで遡って考え直してみよう。もっとも、現代社会を分析しようとしているわれわれにとっては、ヘーゲルのテクストを細かく解釈し、強引に現代的な現象と対応づけるというような牽《けん》強《きょう》付《ふ》会《かい》は無意味である。あくまで、ヘーゲルの基本的な見方が、資本主義なるものの総合的な理解に有効であることを確認すれば十分だ。

増殖する知

　資本は、実体であると同時に主体である。ヘーゲルの見方を継承すれば、次のように言えるはずだ。同じように、近代的な知も実体＝主体の運動性の現実化である、と。この命題は、実際、近代科学を見ると、実に正確に成り立つ。

このことは、近代科学の知には、それ以前の知の体系――そして西洋以外の文明圏において生まれた知の体系――にはない、特別な性質が備わっていることに気づけば理解できる。特別な性質とは、無限の蓄積性である。近代科学は、知を増殖し、どこまでも積み重ねようとする。今やわれわれは、知とは基本的には科学のことなので、知がどんどん蓄積されていくことを自明のことのように思っているが、近代科学以前の知にあっては、蓄積とか変化とかはきわめて緩慢であった。それに対して、近代科学においては、知は持続的に蓄積されており、蓄積が進捗していない瞬間はまったくない。

するとすぐに、科学的な知と資本主義的な価値との間の類似性に気づくだろう。資本は回転する中で剰余価値を生み出す。これと似て、科学は常に「剰余知識」を生み出している――新知見を付け加えている。資本主義的な（価値の）生産様式と近代科学的な知の生産様式とは、同じような衝動が共有されているように見える。

近代科学は、西洋で、科学革命とともに生まれた。つまりガリレイやニュートンが活躍した一七世紀に生まれた。科学革命の期間は、フェルナン・ブローデルが、資本主義の揺《よう》籃《らん》期《き》と見なした「長い一六世紀」の後半と重なっている。[*12] 近代科学と近代的な資本主義はほぼ同じ時期に生まれたと言ってよい。

どうして近代科学にだけ、このような性質、無限の蓄積性があるのか。言い換えれば、どうして、他の知の体系には、同じような蓄積性や増殖性がないのか。答えは、近代科学は、厳密には真理の集合ではない、ということに関係している。普通、知の体系は、真理（の集合）である——と自ら主張する。近代科学だけは違う。科学という知の体系の中に収められている命題は、すべて「仮説」、つまり真理のせいぜい候補にすぎない。

普通、科学革命は、斬新な発見（たとえば地動説）によって生じた、と説明されるが、そうではない。近代科学をもたらしたものは、——ユヴァル・ノア・ハラリが『サピエンス全史』で述べているように——「われわれは知らない」ということの自覚、自らの無知についての知である。科学革命は、知の革命である前に、無知（の知）の革命である。[*13] 近代科学が仮説の集合にしかならないのは、それが真理であるかどうかを、われわれは知らないからである。

近代以前の知の伝統はいずれも、この世界において知るに値する重要なこと——有意味な真理——については、すでにすべて知られている、という前提をもっていた。誰もが知っている、というわけではない。しかし、「われわれ」の中の誰かが——賢者とか、預言者とか、ブッダとか、君子とか、とにかく誰かが——、つまり少なくとも一人が、大事なことをすべてすでに知っているのである。ユダヤ教でも、古代や中世の西洋哲学でも、キリスト教やイスラーム教でも、そして仏教やヒンドゥー教、あるいは儒教でも、この点は変わらない。そして、賢者や知者が知らないことは、そもそも重要ではないことだ。伝統的な知の体系の中では、真理へのアクセスが、権威あるテクスト——古典や聖典——を読むという形式をとるのは、このためである。テクストには、その特権的な賢者が知っていること、知っていたことが書かれているのだ。このような前提であれば、原理的には、知は増殖しない——増殖してはならないはずだ。

　近代科学は、まったく異なった前提から始まっている。われわれは（未だ）知らない、知るべきことをすべて知っている人は誰もいない、という前提から、である。この前提から、価値を増殖させる資本と類比的なやり方で、不断に真理候補を改訂しつつ蓄積していく知が生まれる。

帰納法と予定説

　剰余価値は労働者の労働を通じて生まれる。剰余知識（新発見）は経験を通じて見出される。真理（候補）の源泉が、「言葉（聖なるテクスト）の権威」から「事物をめぐる経験」に置き換わったところに、近代科学の革新があった、と言われる。それ以前は、知性（真理の認識）と普通の人々の経験とは何の関係もなかった。それに対して、科学革命は、認識と経験とを結びつけた。が、ここには独特のひねりが入っている。

経験は不確実であって、真理とは結びつかない、とかつては考えられていたが、近代科学においては、知性と経験の間の壁が取り払われ、経験が真理の認識のための最も重要な手掛かりになった。とすると、経験への信頼が高まり、経験されたことは確実だと思われるようになった……と考えたくなるところだが、そうではない。ジョルジョ・アガンベンは、近代科学は経験に対する、かつてなかったほどの不信から生まれている、と述べている[*14]。この主張は通説を根本からひっくり返すものなので人を驚かせるが、しかし、デカルトのことを思えば、ただちに納得がいく。デカルトは、科学革命の同時代人で、彼自身、この革命の担い手の一人だが、経験を異様なまでに疑っている。彼は、感覚をあざむくことを専門とする邪霊がいるかもしれない、などということまで心配して、経験を精査しているのだ。

すると近代科学は、経験をまったく信じていないのに、経験から真理の手掛かりを得ようとしていることになる。だから、近代科学が依拠したのは、経験のすべてではなく、独特のやり方で改造され、編成された経験である。つまり「実験」や「観察」となった経験だ。実験・観察は、経験らしさが抜き取られた経験である。経験の特徴は、人によってさまざまだということ、個人ごとに多様だということにある。それに対して、実験・観察は、経験の構成要素をできるだけ道具や数値に置き換えることで、「誰が実施しても同じ」「誰が観測しても同じ」という状況を確立しようとする。

実験・観察（として編成された経験）と真理——厳密には真理の有力候補としての仮説——とを結びつけるのが帰納法である。しかし、ここで困難が生ずる。実験や観察がいかに厳密に統制されていたとしても、完全に同一の経験を保証するものではない。またいかに実験や観察を繰り返しても、なお真理に対して要請されている「普遍性」を確証させるものではない。帰納的な一般化と真理の普遍性の間には乗り越えられないギャップがある。どうして、帰納法によって真理に近づきうるという確信をもちえたのか。

ある暗黙の前提があるのだ。先ほど述べたように、近代科学は、人間が真理を知らない、ということから始める。が、同時に、「真理をすべて知っている主体」の存在が前提にもなっているのだ。その主体は、具体的な誰彼、経験的な個人ではない。純粋に理念的な存在である。実際には決して出現しないし、その境地には誰も到達できないが、しかし、真理を知っている主体が理念的には存在することが科学的な営みにとっての前提になっている。帰納的に一般化されたことがらは、その「真理を知っているはずの主体」が実際に知っていることと合致している（かもしれない）と想定できるために、真理（の候補）としての資格を得るのだ。もし、「真理を知っているはずの主体」の理念的な存在をあてにできなければ、帰納を通じて——つまり経験（実験や観察）の繰り返しを通じて——真理に漸近することはできない。

　ここで注目しておきたいことがある。今述べた構成は、（一部の）プロテスタントの予定説とまったく同じである。[*15] 予定説との対応が重要なのは、第2章第5節で述べたように、予定説こそが「資本主義の精神」の最も重要な源泉だからだ。

　近代科学は、ほんとうは経験に対して不信感を抱いており、経験されたことが確実なことなのか、それを真理と見なしうるのかということについてとことんまで疑っている。同じように、予定説を信じるキリスト者は、自分が（最後の審判の日に）ほんとうに救済されるのかどうかということについて、自分が現にこの世界で経験しているどのようなことからも確証を得ることはできず、懐疑を払拭《ふっしょく》できない。近代科学は、経験を疑っているのに、まさにその経験から真理（の候補）を導き出す。プロテスタントも、原理的には（救済についての）確証を得られないはずなのに、自分が来るべき終末の日に救済されているはずだという想定で――救済をいわばひとつの仮説として前提にして――行動する。プロテスタントがそんなふうに行動できるのは、全知の神の存在を絶対的に信じているからである。科学が、真理を知っているはずの理念的な主体を暗黙の――しかし絶対に譲れない強固な――前提としているのと同じである。

5　絶対知の逆説

〈しるし〉を受け取るためには……

ヘーゲルからヒントを得ながら、近代的な知のダイナミズムが、資本の循環と類比的だということを見てきた。なぜそんなことを見てきたのかというと、ここから、あのキューブラー＝ロスの第五のステージに対応するような認知的な態度が出てくるかを検討するためである。人新世を生きるわれわれが現在、普通に可能であると見なしていることをそのまま持続するならば、生態学的な破局は必然であることを直視し、あえて不可能を——たとえば脱成長コミュニズムを——選択できるような、そんな認知的な態度が、ここから出てくるだろうか。

われわれが前節の探究の過程で見出したのは、近代科学の知である。科学知は、われわれが求めている認知的な態度と見なすことができるだろうか。科学的知見が重要なことは確かである。破局が迫っているという予測はすべて、気象学をはじめとする経験科学の蓄積してきたデータとそれを踏まえた科学的に合理的な推論に基づいている。科学知がなければ、来るべき破局について云々することは一〇〇%無意味である。そして、迫っている破局に対して警鐘を鳴らし、何らかの対策を打つべきだと主張している者は常に、破局を否認したり、それを小さく見積もっている者たちに対して、科学の客観的なデータと推測を無視している、と批判する。

科学知は必要条件だとして、ではそれで十分なのか。科学が提供してくる事実と予想を虚心に受け取るだけで、われわれはあの第五のステージに達するのか。そうではない。科学知だけでは明らかに不十分である。破局の可能性を否認したり、その大きさを過小評価する者たちもまた、まさに科学的な知見を根拠にしてそれを主張しているからである。

彼らがしばしば依拠しているのは少数説ではある。しかし彼らも科学の知見を拒否したり、無視したりしているわけではない。パリ協定からの離脱を宣言したトランプ米大統領（当時）でさえも、大規模な気象変動が起きつつあることを疑う（マイナーな）学説に訴えて、自らの判断を正当化している。持続可能な成長や気象ケインズ主義を唱える者、あるいは左派加速主義者に至っては、科学知を否認しているのではなく、逆に科学知に過度な期待を寄せているとさえ言える。

科学が提案していることは、前節で述べたように、真理ではなく仮説である。それは、常に懐疑に対して開かれている。科学知は、どのような行動を支持するときにも活用可能だ。科学知だけでは不十分だし、これは、われわれが求めている第五ステージの態度そのものを構成することはない。

新約聖書の福音書によれば、イエス・キリストは、数々の奇蹟を起こす。死者を蘇《よみがえ》らせたり、盲人の目を開かせたり、水の上を歩いたり、と。それらは、人々に、イエスが神の子であること、そして神の国が迫っていること、そうしたことを納得させるためである。イエスがおこなった奇蹟は、神の国がすぐ近くにあること等を示す〈しるし〉だ。実際、信者たちは、奇蹟を、そのような〈しるし〉として受け取る。だがイエスを憎む者たちは、そのようには受け取らない。彼らもまた、イエスがおこなったことを、たとえば彼の祈りによって墓に入っていたラザロが生きて出てきたことを知っている。しかし、信仰がなければ、それは、何か特別なことを意味する〈しるし〉にはならない。イエスへの憎悪がますます深まるだけである。

　同じことは気候変動にも言える。異常に大きな台風の到来や新型コロナウイルスのパンデミックが、来るべき破局を予告する〈しるし〉になるためには、ある種の「信仰」が必要になる。「信仰」がなければ、それらは、ときどきある、いくぶんか平均値を外した出来事でしかない。この「信仰」はいかにしてもたらされるのか。それは、（いかにして）可能なのか。

絶対知と神の知

　ところで、精神のダイナミズムは科学知（悟性や理性）で終わるわけではない。ヘーゲルによれば、精神は成長し、最終的に「絶対知 absolutes Wissen」に至る。『精神現象学』では、意識は、感覚から始まって、悟性や理性等を経由し、宗教も通過し、最終的には絶対知に至るのだ。絶対知とは何であろうか[*16]。

絶対知は、普通、すべてのことを知っている状態、超越的な神に帰属するような知であると考えられている。予定説の神の知、あるいは近代科学がその探究において――絶対に到達しないが統制的な理念として――前提にしている知、これらが現実になったものが絶対知である、とするのが一般的な理解である。

だが、もし絶対知がそのようなものだとすると、ヘーゲルは誇大妄想を抱いているようにも見えるし、そもそも、彼は単純に混乱している。絶対知が、神の全知のようなものだとすると、それは歴史の終わりに属する知である。歴史の中で起きたこと、起きうることをすべて知ってしまっているような主体がもつのが、絶対知だということになるだろう。

しかし、ヘーゲルは、いたるところで、すべての個人は時代の子であって、哲学も時代を超越することはない、と明言している。たとえば、最もよく知られた一節としては、『法の哲学』の序文で、何らかの哲学が、それが属する現在世界を超越しうると空想することは、ロドス島で跳ぶがごとくに愚かしいことだ、とまで述べている[*17]。

『歴史哲学講義』の中でも繰り返し、自分自身の認識は、現在時に制約されていて、最終的なところはわからない、という趣旨のことを述べている。アメリカは未来の国であって、その世界史的な意義は目下のところはわからない等、と。もし絶対知が超越神に属する知のようなものだとすると、任意の知の——ヘーゲル自身の知を含むすべての知の——歴史的な被制約性についてのこうした主張と、精神は絶対知に到達しうる——少なくともヘーゲルは到達している——という主張とは、まったく矛盾していることになる。*18

意識の最終的な到達地点となる絶対知は、だから、神の全知とはまったく異なるものなのだ。では、それは何か。

絶対知とは何か

絶対知は、「私たちにとって（For-us, Für-uns）」と「それ自体として（In-itself, An-sich）」の間の緊張関係の極限に現れる知の様態である。どういうことか。

われわれは、事物についての何らかの体験をもつとき常に、ある区別をおこなっている。私たちにとってFor-us」その事物がどのように現れているのかということと、その事物がそれ自体としてIn-itself」どのようであるのか——私たちとの関係から離れてどのようであるのか——、ということを区別しているのだ。たとえば、私たちの位置からはとても小さく見えるあの像は、ほんとうはとても大きいのだ、といった具合に、である。あるいは私たちには黒く見えるが、ほんとうはあれは赤いのだとか、私たちには正面しか見えていないが、ほんとうは裏面もあるのだとか、といった具合に、である。

ところで、「それ自体としてIn-itself$_1$」の事物のあり方もまた、やはり私たちにとってFor-us$_2$の現れ方であると捉え返すことができる。たとえば「あれは私たちにはFor-us$_1$とても小さく見えるが、ほんとうはそれ自体としてはIn-itself$_1$大きいのだ」というとき、私たちがそれをはるか遠くからではなく、典型的で適度な距離から見たときには大きく見えるということであって、その事物のIn-itself$_1$のあり方も、やはり（その事物から適切な位置にいる）私たちにとってのFor-us$_2$の現れのひとつであると反省的に捉え返すことができる。「私たちにはFor-us$_1$黒く見えるあれは、それ自体としてはIn-itself$_1$赤い」というときも、その事物が、暗い部屋ではなく、自然光が入っている普通の明るさの環境の中にいる者には赤く見えるということであり、やはり、In-itself$_1$のあり方は、For-us$_2$に置き換えられる。

For-us$_2$としての事物の現れ方に対応しても、In-itself$_2$な事物のあり方が想定されている。たとえば「普通の距離からは（For-us$_2$）大きく見えるあの像は、ほんとうは――それ自体としては（In-itself$_2$）――二〇メートルの高さだ」とか、「自然光のもとでは（For-us$_2$）赤く見えるあの物体の表面は、ほんとうは――それ自体としては（In-itself$_2$）――これこれの波長の光を反射する性質をもっている」とか、と言われるだろう。

整理すると、次のようなことが起きている。私たちは事物を認識するとき常に、その事物が私たちにとってどのように現れているか（For-us_n）と、その事物がそれ自体としてどうであるか（In-$itself_n$）とを区別している。後者は、さらに一段階上の、私たちにとっての現れ方（For-us_{n+1}）として捉え返され、それとの相関で、事物がそれ自体においてどうであるか（In-$itself_{n+1}$）ということも措定されている。

$$\text{For-}us_n \,/\, \text{In-}itself_n \rightarrow \text{In-}itself_n = \text{For-}us_{n+1} \,/\, \text{In-}itself_{n+1} \rightarrow \cdots\cdots \quad (*)$$

ここで次の点に留意しておこう。For-us_nとFor-us_{n+1}を比べたとき、後者の「私たちus」の範囲は、前者よりも包括的である。つまりFor-us_nに対してFor-us_{n+1}は、普遍化の程度がより高いということになる。[*19] For-us_nの現れ方は、In-$itself_n$のあり方との関係で相対化されているわけだが——「私たちの視点にはこのように見えているがほんとうは……」という形式で相対化されているわけだが——、それは、For-us_nの「私たちus_n」が、For-us_{n+1}の「私たちus_{n+1}」の中の部分的契機として相対化されているということでもある。なぜならば、「$\text{In-itself}_n = \text{For-us}_{n+1}$」だからである。

ジョン・ロックは、物の性質を、第一性質と第二性質とに分類した。[*20] 第二性質には、色や味等が含まれ、第一性質には、形や数や固さ等が入る。第二性質は、For-us に現れる性質であり、第一性質は、物それ自体に In-itself 帰属する性質だ。だが、ここに述べてきたことから明らかなように、性質をこのように固定的に分類するのは適切とは言えない。あるレベルで In-itself と見なされることも、上位のレベルでは For-us だからである。言い換えれば、第一性質もすべて For-us に還元することができる。ただ、第一性質の方に分類される性質がたち現れるときに参照される「私たち us」の範囲が、第二性質がそれに対して現れる「私たち us」の範囲よりも圧倒的に広く包括的だというだけの違いだ。

さて、ここで先の（＊）の歩みを最後まで進めていくとどうなるだろうか。それ以上に包括的な私たち us が積極的には想定できない水準の For-us_{∞} にまで到達するはずだ。それは、同時の究極の $\text{In-itself}_{\infty}$ でもあるはずだ。すなわち、（＊）の極限は、

$$\text{For-us}_{\infty} = \text{In-itself}_{\infty}$$

である。[*21] こうして、最終的な生《なま》の客観的実在In-itselfが、主観的な現れFor-usと直接に合致することになる。これこそが、ヘーゲルが言うところの「絶対知」ではないか。絶対知とは、もうこれ以上の相対化が不可能なレベルの「私たちus」に対する現れを、客観的な実在として認知することである。

最終的な客観的実在に到達するまでに、For-usのレベルを何重にも重ねてきたということは、「それ自体として存在している客観的な実在」に到達するためには、主体の側の操作がいくつも必要になる、ということである。「主体から独立した実在」を認識するために、最も多くの主体による媒介を必要とする、という逆説がここにはある。

前節で、近代科学の「実験」ということに関して述べたことを思い起こすと、この点がよく理解できるだろう。近代科学は、経験に対して強い不信感をもっていると述べたが、それは、経験が客体として捉えていることが、客体の実相ではなく主観的な現れ（For-us）ではないかとの疑いをもっているということだ。そこで、科学は、経験を実験として編成することで、For-usとしての側面を極小化し、In-itselfを捉えようとする。つまり、特殊な装置によって観測したり、数値化したり、作為的な概念で把握したりする。直接のIn-itselfを認識するためには、主体的操作によって多重に媒介されていなくてはならない、というのは、たとえばこうした状況を指している。[*22]

一般には、物自体（In-itself）は、主観＝主体の外部の実在だと考えられている。ヘーゲルの絶対知の概念のポイントは、物自体を、主観的なアスペクト（For-us）と客観的なアスペクト（In-itself）の間の緊張関係の中に位置づけた点にある。

閉鎖性と開放性

こうした考察が、われわれの本来の主題とどう関係しているのか。まったく関係がないことではあるまいか。とんでもない！　ここに論じてきたことは、われわれがこの章の最初にかかげた問題と直結している。結論を先に述べておけば、絶対知こそは、キューブラー＝ロスの第五のステージに対応する認知的な態度にほかならない。われわれが求めてきたものは、絶対知である。この点を納得してもらうためには、もう少し説明を重ねなくてはならない。

絶対知に対しては、その外がなく、それを相対化できるようなメタレベルのFor-usもない。だから、それは「絶対」知と呼ばれる。何から何まで知っているすごい知性だから絶対知だ、というわけではないのだ。絶対知よりも前のレベルFor-us_nに関しては常に、事物がそれに対して現れているところの「私たち us_n」の主観的な視点を相対化し、それを外部から捉えるメタレベルの視点 $For\text{-}us_{n+1}$ を想定することができる。しかし、絶対知に対しては、定義上、そのようなメタレベルの視点が存在しない。絶対知は、自らを相対化するための視点を、自らの視野の外部に設定することができない。これがポイントである。

それゆえ、絶対知は、最も徹底した意味において閉じている。絶対知に対して見えている視野を相対化するような外部は、原理的に存在しないからだ。しかし、同時に、まさにこの根源的な閉鎖性のゆえにこそ、絶対知は、自らが認識していることがすべてではない、これでは尽きない、とも直観するはずだ。ここは理解の難所なので比喩を用いて説明しよう。

水平線というものを考えてみるとよい。水平線の内側は、根源的に閉じている。われわれは、水平線のこちら側しか見ることができないからだ。水平線の向こうにある何かは絶対に見えず、われわれにとっては存在していないに等しい。にもかかわらず――というより水平線によって閉じられているがゆえにこそ――、水平線の内側に見えているものだけではすべてではない、ともわれわれは思うはずだ。水平線の向こう側に何かが積極的に見えているから、そう思うわけではない。水平線の内側と外側の両方を視野におさめる、メタレベルの視点も存在しない。われわれは、水平線によって閉じられていればこそ、その内側では尽くされないとも直観するのだ。

終わりと始まり

絶対知の認識が及ぶ範囲は、この「水平線の内側」に見立てられる。水平線の場合と同じように、その認識は、閉じられていればこそ、まさに開かれてもいるのだ。そうだとすると、この絶対知こそ、キューブラー＝ロスが見出した第五ステージの態度——死の受け入れ——と同じ形式をもっていることがわかる。

一方で、絶対知は、完全に閉じられており、それを相対化しうる外部の参照点は存在しない。この意味では、絶対知は、死や終末、あるいは破局が必然であるということを見ているのと同じである。なぜならば、絶対知が知りうる内在的な可能性はもう「そこまで」で完全に尽きてしまっていて、「それより先」というものは何もないのだから。

しかし他方で、絶対知は、自らが認識しているもので尽きるわけではない、これらですべてではないとも直観するのであった。ということは、絶対知は、すべてが終わったところで、それらに尽きない新しいものの始まりの可能性が開かれていることも直観していることになる。終末の後に新しいものが始まるのだとすれば、その終末は真の終わりではなく——つまり終末は必然ではなく——、なお回避しうる偶有的なものであったことになる。キューブラー＝ロスによれば、死の宣告を受けた後、第五ステージに至った患者は、死に対して奇妙な両義的な態度をとる。患者は、一方で、死は避けられないことをはっきりと受け入れている。しかし、他方で、その死とともに何かが始まるかのように、その患者は死に対して前向きでもある。このとき、死は必然でありかつ偶有的だ。

第五ステージの患者の死に対する態度と同じ構えで、われわれが、生態系の破局に対することができれば、脱成長コミュニズムのような、（ほとんど）不可能なことへの歩みを始めることができるだろう。このような構えで世界に対することは可能だ、というのが、ここまでの考察の結論だ。そうした構えを、ヘーゲルは「絶対知」として概念化した。

絶対知は、われわれの未来が時間的な水平線によって閉じられているのを見ている。その意味で、破局は必然だ、と。しかし同時に、絶対知は、この時間的な水平線の内側で、すべてが尽きないことも直観する。時間的な水平線の向こう側からやってくる者、それこそ未来の他者にほかなるまい。絶対知は、このような仕方で未来の他者と出会い、未来の他者に応答する。

絶対知は、超人的な悟りのようなものとして獲得するものではない。むしろ、われわれは皆、絶対知へと運命づけられており、絶対知から逃げることはできない。われわれにとって希望は、絶対知が、資本の運動と類比的な仕方で変動する精神の成長の最終段階だということである。なぜこれが希望なのかというと、このヘーゲルの洞察は、資本主義の内側からこそ絶対知の境地に達しうるということを含意しているからだ。

＊1　斎藤幸平『人新世の「資本論」』集英社新書、二〇二〇年。

＊2　ヴォルフガング・シュトレーク『時間かせぎの資本主義――いつまで危機を先送りできるか』鈴木直訳、みすず書房、二〇一六年。

＊3　Aaron Bastani, *Fully Automated Luxury Communism: A Manifesto*, London: Verso, 2019. 斎藤、前掲書、二〇七―二一〇頁。

＊4　斎藤、前掲書、二三四―二七六頁。

＊5　第2章第5節参照。

＊6　アイザィア・バーリン『自由論（新装版）』小川晃一他訳、みすず書房、二〇一八年。

＊7　マイケル・サンデル『それをお金で買いますか――市場主義の限界』鬼澤忍訳、早川書房、二〇一二

年。

*8 ダニエル・ピンク『モチベーション3・0――持続する「やる気！」をいかに引き出すか』大前研一訳、講談社、二〇一〇年。

*9 さらに興味深いことがある。与えられている課題が、何の創意工夫も必要のない単純作業のようなものだった場合には、逆に、金銭的報酬が高いグループほど好成績になる。

*10 前注で指摘したように、つまらない作業であれば、金銭的報酬の高さに比例して、被験者の成績が高まる。もともとの行為に何の価値もないということは、貨幣によって締め出される価値がない、ということでもある。この場合は、貨幣が与えられれば、少なくともその分だけは、行為に価値が加わる。

*11 ヘーゲル『精神現象学』上、熊野純彦訳、ちくま学芸文庫、二〇一八年、三三三頁。

*12 フェルナン・ブローデル『物質文明・経済・資本主義　15―18世紀』全三巻、村上光彦訳、みすず書房、一九八五―一九九九年。

*13 ユヴァル・ノア・ハラリ『サピエンス全史――文明の構造と人類の幸福』下、柴田裕之訳、河出書房新社、二〇一六年、第4部第14章。

*14 ジョルジョ・アガンベン『幼児期と歴史――経験の破壊と歴史の起源』上村忠男訳、岩波書店、二〇〇七年、二七頁。

*15 帰納法が予定説的な設定を暗黙の前提にしているというこの論点に関して、柴田悠からヒントを得た。柴田悠「プラグマティズムの成立過程」（未発表）。

＊16 以下に示す絶対知についての理解は、スラヴォイ・ジジェクのヘーゲル解釈に負っている。S. Žižek, *Less Than Nothing: Hegel and the Shadow of Dialectical Materialism*, London, New York: Verso, 2012, pp. 387-394.

＊17 「ここがロドスだと思って、ここで跳べ」は、イソップ物語から来ている。ある人物が、ロドス島の競技会で大跳躍をして勝利したと大言壮語して自慢しているので、人々は、彼に、「ならばここがロドス島だと思って跳んでみよ」と言ったところ、くだんの人物は逃げて行ってしまった、というわけである。ヘーゲルは、「ロドスで跳ぶ」という故事を、できるはずのない妄想だというような意味で、引いている。

＊18 ヘーゲルの哲学体系の歴史性は、カトリーヌ・マラブーのヘーゲル論の主題のひとつでもある。『ヘーゲルの未来――可塑性・時間性・弁証法』西山雄二訳、未來社、二〇〇五年。

＊19 ここでは複雑になるので論じないが、このことは、実は「資本主義」という文脈との関連で重要な意味をもつ。交換価値と使用価値との関係を論ずるなかで暗示しておいたが、資本とは、特殊性を普遍性のうちに包摂していく運動と結びついているからである。

＊20 ジョン・ロック『人間悟性論』加藤卯一郎訳、岩波文庫、一九五〇年。

＊21 For-us$_{\infty}$は、For-us$_{n}$で「$n \to \infty$」としたときに導かれる極限である。つまり、For-usのメタレベルへと向かう階梯を無限段登ったときに得られるのがFor-us$_{\infty}$である。これよりも一段下のレベルのIn-itselfもまた、In-itself$_{\infty}$となる。可算無限集合からひとつの要素を除去しても、やはり可算無限集合になるからだ。つまり「0以上の自然数の集合」と「1以上の自然数の集合」は、完全に濃度（要

素の数）が等しいからだ。

*22 究極のケースは量子力学である。量子力学的には、客観的な物自体は、数学的にしか実在していない。つまり、数学による形式化という主体の側の観念的な操作から独立しては、客観的な物自体は定義できない。

第5章
新世紀のコミュニズムへ

1 知と無知

無知の知

人には知っていることと知らないことがある。しかし、この二分法、知と無知という単純な二分法では、新型コロナウイルスのパンデミックをめぐって起きていることを分析するには不十分だ。知らないことの中には、「それを知らないということそれ自体を知らないこと」と、「それを知らないということについては知っていること」とがある。つまり無知について無知である場合と無知についての知がある場合である。どちらも結局、無知であるという点では同じだが――つまり知らないことの内容には差がないのだが――後者には、無知についての自覚がある。「知」のあり方ということに着眼した場合、新型コロナウイルスをめぐって起きていることは、さまざまな領域における「無知の無知」から「無知の知」を経て「知」へと向かう移行と要約することができるだろう。

たとえば、ウイルスそのものについての知がそうである。現在、新型コロナウイルスが人間の世界に最初に入ってきたのは、二〇一九年後半と推定されているが、その段階では、当然ながら、人類は、その新しいウイルスについて何も知らないということ自体を知らなかった（無知の無知）。二〇一九年末から二〇二〇年初頭にかけて、人類は新型コロナウイルスの存在を認知したが、しかし、それについてほとんど何も知らなかったし、知らないということ自体を自覚していた。このウイルスが人から人へとどのくらい感染しやすいのか、感染した場合にはどうなるのか、等々について何もわかってはいなかった（無知の知）。やがていろいろなことがわかってはきた。無症状のケースがあり、それでも感染するとか、インフルエンザよりも致死率が高いとか、「3密」の状態が集団感染の原因となるとか、多くのことが「知」の中に組み込まれるようになった。

とはいえ、二〇二一年三月現在、新型コロナウイルスについてのほとんどのことが「無知の知」にとどまっている。いまだにこのウイルスが、正確にいつどこで人間の世界に入ってきたのかがわかってはいないし、そのウイルスがどうやって武漢にまでやってきたのかも不明である。どうして、東アジアの感染者の重症化率が低いのかも解明されてはいない。ワクチンがどのくらい効くのかも誰も知らない。

ウイルスやパンデミックについての知識だけが、こうした経緯をたどっているわけではない。関連するさまざまな分野の知が同じ経緯をたどっている。たとえば、経済についての知。都市をロックダウンしたとき、あるいは緊急事態を宣言したとき、経済の全体にどのような結果がもたらされることになるのか、われわれは、ほんとうはよくわかってはいなかった。が、いったんそれらのものを経験し、その影響や効果について、前よりはいくぶんか理解が深まりつつある。さらに、パンデミックに対する多くの措置の政治的な効果について、あるいはその文化的な影響に関して、さらには、パンデミックとその対策が人間の倫理や心理に与える影響に関して、知はすべて同じ経過をたどっている。

総じて言えることは、基本的にはほとんどのことがまだ「知の知」の段階にまでは移行していないということだ。大半が、「無知の知」にとどまっている。ユルゲン・ハーバーマスは、ヨーロッパでコロナウイルスが猖獗をきわめていた二〇二〇年四月に――つまりヨーロッパが感染の第一波の中にあったときに早くも――、「実存的不確定性が地球的な規模で同時に広がっている」とし、その原因を「あまりにも多くの無知の知がある」という事実に求めている[*1]。

問題は、無知だから、わからないからわかるまで決定や実行を待とう、というわけにはいかないことだ。無知を前提にしながら、政治家は実効的な政治的決断をくださなくてはならず、われわれはその下で暮らさなくてはならない。感染の急激な拡大のほんとうの原因に確信をもてず、効果も正確に予想できなくても、たとえば緊急事態を宣言しなくてはならない。多くの政治家は、「専門家の見解をよく聞いて」と言うが、専門家も知りたいことをすべて知っているわけではない。一般の人と専門家の違いは、知と無知の差異にあるわけではなく、主として「無知の無知」と「無知の知」の差異にある。専門家とは、われわれが何を知らないか、よくわかっている人のことである。

ハーバーマスが述べているように、「無知の知」は実存的な不安定性の原因になっている。しかし、「無知の知」は悪いことではない。「無知の知」の段階を経なければ、知へと至ることはないからだ。無知（の無知）から知への移行は、「無知の知」という中間段階を経なければ、絶対に果たされない。前章の第4節で述べたように、歴史上の他の真理システムに対する近代科学の強みは、「無知の知」という範疇を公然と認めたことにある。他の真理システムは、知られるべきことはすでに知られているという立場なので、知らないことに関しては無知でいるほかない。つまり「無知の無知」はあっても、「無知の知」はありえない。

知の無知

コロナ危機の克服を妨げている要因は、「無知の知」から「知」への越境が困難だ、ということにある。が、このタイプの困難は、とりたてて新型コロナウイルスのパンデミックに限られた問題ではない。実のところ、コロナ危機の困難は、「無知の知」とは別のところにもある。本書のここまでの展開が含意していること（のひとつ）は次のことだ。すなわち、この危機にわれわれが立ち向かうことを阻んでいる要因は、「無知の知」以上に「知の無知」にある。

「知らないこと」に関して、さらにそれを「知っている／知らない」というメタレベルの知による区別を打ち立てた。そうだとすれば、「知っていること」に関しても、同じように、それを知っているか、知らないか、というメタレベルの区別を導入することができるはずだ。単に知っているだけではなく、それを知っているということ自体をも知っている（自覚している）場合と、それを知っているのに、まさに（それを）知っていることを知らない場合である。オブジェクトレベルの「知／無知」の区別の軸に、メタレベルの「知／無知」の区別の軸を直交させると、知と無知に関して四つのカテゴリーを得る（図5-1）。

普通、知っていることに関しては、その知についての自覚があるのが当然だと思われている。つまり「知」と「知の知」は同一視されている。そのため、図の「第3象限（無知の無知）→第2象限（無知の知）→第1象限（知の知）」という経路しか念頭には置かれてこなかった。しかし、実際には、図の第4象限にあたるカテゴリー、つまり「知の無知」という状態がある。「知の無知」を発見し、その構造を分析したり、解釈したりしたのは、フロイトである。精神分析が見出した「無意識」とは、まさにこの「知の無知」のことだ。[*2]（無意識のレベルでは）知っているのに、そのことが抑圧され、意識の水準に現れない状況、それが「知の無知」である。

「知の無知」は、別の言い方で表現すれば、知っていることと信じていることとの間にねじれがあるということだ。普通は、知っていることと矛盾することを信じることは不可能だと思われている。あの人が悪人だと知っているのに、その同じ人を善人だと信じることはできない、といった具合に。だが、実際には、人は、知っていることとは異なることを信じることがある。

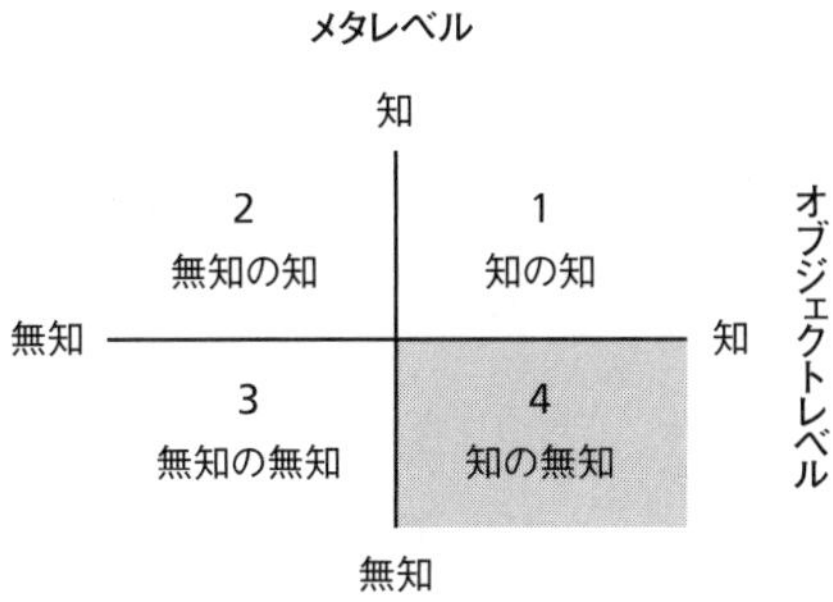

図5–1　知の無知

自らがすでに知っていることとは異なることへの（無意識の）執着がある場合には、そうなるだろう。

このことは、次のことを思えば理解できるだろう。われわれは、第1章で、キューブラー＝ロスの五段階モデルを考察のために導入した。人は、自分の余命が幾許《いくばく》もないという事実を受け入れるのに、非常に苦労する。だが、すべての人が、自分が死ぬことをもともと知っており、その死が今、突然訪れることもありうることを知っている。それなのに、もうじき死ぬだろうと告知されるとショックを受け、最初はそれを強く否認しようとするのはどうしてなのか。人は、自分の死ぬ瞬間が必ず来ることを知っているのに、普段、まるで自分が永遠に生きているかのような想定で行動してきたのだ。これが、自らの死を知っているのに、そのことを必ずしもほんとうには信じていない状態である。言い換えれば、人は、一方では、自分が死ぬことを知っているのに、他方では、そのことを知らないかのようにふるまっているということになる。これが「知の無知」である。

資本主義の「知の無知」

コロナ危機でも、最大の躓きの石になっているのは、「知の無知」である。この点を、前章までの考察は明らかにしてきている。何を知っているのか。資本主義の死である。資本主義はすでに死んだ……とまでは言わないが、資本主義は長くは生きられないことを、われわれは実は知っている。このままではいずれ、何らかのかたちのとてつもない破局が待っていることを、である。

　われわれはこのことをずいぶん前から知っていたが、コロナ危機は、資本主義の死の不可避性を、よりいっそう確実なものとして見せつけることとなった。たとえば、地球規模のほぼ全面的な経済の停止。こんなことを、もし数ヶ月程度のインターバルで繰り返さなければならなくなったらどうだろうか。もし緊急事態やロックダウンが、ほぼ恒常化されたらどうだろうか。資本主義はほんとうに死ぬだろう。このことをわれわれは知った。

　しかし他方で、人類は今、このことを知らないかのようにふるまっている。最も極端なケースは、第2章第5節で見た株式市場である。コロナ禍でＧＤＰは大幅に下がるが、株式市場では、とりたてて気にするほどのことは起きていなかったかのように、通常より活発な売買が続けられている。これほどではないにせよ、すべての活動や対策が、資本主義が永遠に生きることを前提にしている。

「ニューノーマル」が唱えられ、人はずいぶんいろいろなことを変えようとしているように見えるが、それは、キューブラー＝ロスの言う「取引」の一種である。資本主義という基本的な枠組みを変えないためには、他のすべてのことの変更は受け入れよう、というわけだ。（資本主義を）変えないためにだけ、あらゆることを変えてもよい、と譲歩している状況だ。

絶対知の由来

前章で見出した絶対知は、この4象限のどこにあたるのか。もちろん、それは、第1象限の「知の知」である。だが、重要なことは、このことではない。どこから「知の知」（第1象限）にやってきたのかということ、この点こそが、絶対知であるか否かを決める条件となる。

「知の知」がすべて絶対知だというわけではない。「知の無知」（第4象限）からやってきた「知の知」、「知の無知」を完全に通過し終えた果てに到達する「知の知」、「知の無知」に由来するという痕跡を残している「知の知」が、絶対知である。自らが「知らずに知っている」こと、自らがまさに知っているという自覚なしに知っていることをすべて、「知っていると知っていること」へと転換することができたら、それが絶対知である。絶対知は、

「無知の知」（第2象限）からではなく、「知の無知」（第4象限）からやってくる。

　前章で述べたことと対応づけながら、この点を確認しておこう。絶対知とは、In-itselfとFor-usとが合致している状態であった。一般には、For-us$_n$とIn-itself$_n$とは一致しない。For-us$_n$にとっては、In-itself$_n$は、さしあたって、無意識の前提である。「私たちにはFor-us$_n$こう見える」、つまり「私たちus$_n$はこれを知っている」というとき、実在的な土台が意識されざる前提になっている。この前提がIn-itself$_n$である。In-itself$_n$は、For-us$_{n+1}$へと転換されるのだった。つまり、In-itself$_n$は、「私たちus$_n$」にとっては無意識のことだが、それよりも一段階普遍性のレベルが高い「私たちus$_{n+1}$」にとっては「知っていること」の内に含まれている。

　In-itself$_n$は、「私たちus$_{n+1}$」を考慮に入れたときには、「知の無知（知っているということを知らないこと）」である。それは、厳密には「私たちus$_{n+1}$だったら知っていること」を私たちus$_n$は知らないという形式をとっている。普通は、どのレベルnの「私たちus$_n$」にとっても、In-itself$_n$が無意識の前提になる。しかし、「私たち」の階梯《かいてい》の極限においては、In-itself$_\infty$ = For-us$_\infty$となるのだった。これが絶対知であり、「知の無知」を余すことなくすべて「知の知」へと転換した状態だと解釈することができる。

さて、ここで留意しなくてはならないことは、絶対知が「知の無知」に由来しているということから生ずるに違いない、この知の独特の性質である。結論を先に言えば、絶対知においては、能動性と受動性とが合致してしまうのだ。言い換えれば、自らが極大の自由をもつということと、自由を全面的に奪われ他者の操り人形のようなものになっているということとが、直接に合致してしまうのである。なぜそのように考えられるのか、その理路を解説しよう。

一般的な状態、つまり「For-us$_n$／In-itself$_n$」の状態において、For-us$_n$のことは、もちろん私たちus$_n$に属する知として意識されている。それに対して、In-itself$_n$は、さしあたって、他者の知に対して現れていることである。このことは、In-itself$_n$が私たちus$_n$に対してメタレベルに位置する「私たちus$_{n+1}$」の知に属していると――つまりFor-us$_{n+1}$として――捉え返されたときに、私たちus$_n$に自覚される。いずれにせよ、繰り返せば、In-itself$_n$は、私たちus$_n$にとっては超越的な位置にいる他者[*3]の知に対して現れている。

だが、絶対知においては、For-usとIn-itselfが完全に合致するのであった。For-usとしての側面から見れば、それは、私たちの能動的な知に全面的に服している。世界は、私たちの、知るための能動的な介入なしには現れない。しかし、他方で、In-itselfであるとすれば、私たちはそれに対して無力であり、ただ受動的にそれを眺めることしかできない。私たちは、超越的な他者によって与えられたものを受け入れるほかないようにも感じるのだ。[*4] このように、絶対知においては、極限の能動性と極限の受動性が合致してしまう。[*5] 最大の自由と自由を他者に奪われている状態との間の区別がつかなくなる、と言い換えてもよい。

　重要なのは、このような逆説、能動性＝受動性という逆説そのものではない。この逆説がもたらす効果である。前章第5節で地平線の比喩によって示したことを、ここで論理的に言い換えることができる。世界のすべては、私たちの能動的な知に相関して立ち現れている（For-us）。にもかかわらず、そのような意味での「すべて」から逃れるものがある（In-itself）。それは、「私たち」の知の支配にまったく服さない、不定の他者の場所である。それは、最も強い意味での他者——それは「私たち」の知が及びうる「すべて」からさえも逃れているような最も遠い他者——がやってくるための場所だと言ってよい。

　最も強い意味での他者、他者性の純度を保った他者とは、未だ存在していない他者だと言ってよいだろう。今ここにいて利害を共有している他者や、かつて存在していてその思いを理解できる他者よりももっと徹底的に他者的であるような他者とは、未だ存在していない他者である。言い換えれば、それはやがてやってくる（かもしれない）他者であり、要するに未来の他者である。絶対知のレベルにおいて、人は、未来の他者を迎え入れる態度を整えることになる。

2 新世紀のコミュニズムのために

何をコモンズに含めるか

もし「知の無知」を克服できれば、つまり（「無知の知」を通過するだけではなく）「知の無知」を経由して真に明晰な「知の知」であるところの絶対知に到達することができれば、われわれは当然、資本主義の死を受け入れ、その根本的な枠組みを否定した社会を構想することになる。その社会の名は、「コミュニズム」ということになる。しかも、それは、国民国家を横断する——その主権を相対化する——普遍的な連帯のもとでのコミュニズムである。ここまでの考察は、コロナ危機への対処を通じてわれわれが目指すべき社会のあり方に関して、はっきりとした方向を示唆している。それは広義のコミュニズム、グローバルなレベルのコミュニズムだ。

ここでコミュニズムとは、「すべての人がその能力に応じて貢献し、必要に応じて取る」という趣旨の徹底した平等性と（第4章第2節の考察の中で配慮したような意味での）自由とがともに実現している社会のことである。このような意味でのコミュニズムの実現にとっては、とりわけその平等性を実効的なものにするためには、資本主義の根幹となっている私的所有権の相対化が、いいかえればコモンズ（共有）の範囲の拡大が鍵になる。この最後の章では、パンデミックの問題から離れて、来るべきコミュニズム、新世紀のコミュニズムについて、いくつかのことを考察しておこう。とりわけ、コモンズが最小限打ち立てられるべき領域がどこにあるかを、論じておこう。

何をコモンズの方にふりわけ、何に対しては私的所有を容認するのかということに関して、一義的な基準があるわけではない。「社会的共通資本」（コモンズとほぼ同じ意味である）という概念を提唱した宇沢弘文も、社会的共通資本に含まれるべき項目の固定的なリストを提起したわけではなく、きわめて弾力的に考えている。原理的には、所有権の中に含まれている使用権と排除権とを分けたうえで後者を否定する等の方法により、つまり第3章第5節で紹介した「共同所有自己申告税」のような制度を用いれば、私的所有権を全面的に否定し、すべてをコモンズの中に含めることも不可能ではない。そして、コミュニズムを理想的に実現しようとすれば、すべてがコモンズであるべきではあろう。とはいえ、何もかも一律に、コモンズへと編入するやり方は、あまりにも非効率的であり、技術的にも現実性に乏しい。

　現在のグローバルな資本主義にとって本質的な不平等、本質的な葛藤が関与している領域において、まずはとりわけコモンズが確立されなくてはならない。すなわち、そこで生じている（私的所有に由来する）格差が、グローバル資本主義の存続にとって死活的な重要性をもつと考えられる領域、そのような領域においてまずは、コモンズが一般化しなくてはならない。そのような領域は、（少なくとも）三つある。

コモンズとしての二種類の自然

　第一に、自然環境である。これについては、第4章で論じたことなので、ここでは詳しくは再論しない。石油やレアメタルなどの地下資源がコモンズに組み込まれるべきことは言うまでもない。そして何より、最も重要なコモンズは大気である。そして地球そのものが、究極のコモンズの対象だ。

外的な自然がコモンズであるならば、内的な自然もコモンズでなくてはならない。内的な自然とは、生物としての人類が継承してきたもの、つまりヒトゲノムのことだ。これが、コモンズであることが強く要請される第二の領域である。これは、生命科学や遺伝子工学に関連する領域である。この領域において発生する不平等と階級的な葛藤は、現在というよりも将来——ただし近い将来——重要度を増してくるだろう。

　たとえば、ユヴァル・ノア・ハラリは、「ホモ・デウス」の出現を予測している。[*6] ホモ・デウスとは、遺伝子への工学的な介入によって、生物としてヴァージョン・アップした人間のことである。富裕層は、やがて、自分自身や自分の子どもの遺伝子を改造して、何かの能力に卓越したホモ・デウスを造るかもしれない。これまで、人類の間にある格差とは、主としてもっている資産の多寡に関するものであった。しかし、もし裕福な者だけが、その財力によって、自分の遺伝子を好きなように改造できるようになったとすると、格差は、生物としての属性の差異だということになるだろう。一方に、ホモ・デウスとなった人間が、他方には、旧来のホモ・サピエンスにとどまる人間がいる。

　だが、ヒトが種として継承してきた遺伝子は、誰かのモノなのだろうか。私的所有権をそこに打ち立てることは許されるのか。ヒトゲノムがコモンズのひとつであるということになれば、一部の人々が勝手に、自身の遺伝的属性を改造することは違法行為になる。とはいえ、遺伝子の改造が全面的に禁止されるわけではなく、一部の改造は――たとえば深刻な遺伝病の除去は――許されるだろう。いずれにせよ、ある遺伝子改造が許容されるかどうか、許容される場合にその費用は誰が負担するのか、等は、ゲノムを共有するすべての人々の（つまり人類の）民主的な意思決定に服することになる。

コモンズとしての「知性」

コモンズとされるべき第三の領域は、「知的所有権」やそれに類する法律によって守られているような「文化」の産物である。その中には、コミュニケーション手段、とりわけインターネットに関連する取引やＳＮＳを含むコミュニケーションのプラットフォームが含まれる。マルクスに「一般的知性」という概念がある。集合的な実践の中から自然発生した広義の知的産物がこれに含まれる。一般的知性の究極の実例は、言語だが、ここで述べているコモンズの対象としての文化とは、あらゆる一般的知性であると言い換えてもよい。

トマ・ピケティの有名な著作によってもはっきりと示されているように、二〇世紀末期以降、どこの国でも富の格差は拡大しつつある[*7]。とりわけアメリカ社会の中の格差は著しく大きい。ＦＲＢ（連邦準備制度理事会）がまとめたデータによると、二〇二〇年の上半期の段階で、アメリカ社会の格差は、上位五〇人の金持ちの資産額の合計が下位半分（約一億六五〇〇万人）の資産の総額とほぼ等しくなるところまで来ている。[*8] 上位一％まで範囲を広げると、その資産額の合計は、下位半分の資産額のおよそ一六倍になる。このあまりにも大きい格差の最大の原因は、本来はコモンズであるべき文化（一般的知性）の領域に、私的所有権が設定されていることにある。

アマゾンやグーグルがどうして、あれほど儲かるのか。彼らのビジネスは、当然ながら、インターネットという土台があるからこそ可能になっている。だが、考えてみると、インターネットは、アマゾンやグーグルが発明したわけではない。ジェフ・ベゾスやラリー・ペイジが、インターネットを含む一般的知性の蓄積に付け加えたことは、ごくわずかなことだ。彼らがやっていることは、自然の産物である土地を——したがって共有地（コモンズ）を——囲い込んで、私的所有権を主張したあのやり口と同じである。土地はもともとあったものであって、地主が創ったわけではないが、囲い込んでしまえば「自分の所有物」である。同じことはサイバースペースにも言える。アマゾンやグーグルは、サイバースペースの中の共有地（コモンズ）を、ささいな理由によって囲い込み、それを自らの私有地としているのだ。ジェフ・ベゾスの資産が、アメリカの平均的な中産階級の年収の二〇〇万年分以上になるのは、このためである[9]。

そのカラクリは、単純化すれば、次のようになる。それが「私有地」であるならば、その土地を他人に使わせることで、その他人から「賃料（レント）」を取ることができる。第3章第5節で述べたように、GAFAの収入は、基本的にはこの「賃料」である。この状況を指して、「レント資本主義」と呼ばれることがある。

監視資本主義のメカニズム

ショシャナ・ズボフは、レント資本主義において「剰余価値」が得られる仕組みを、「監視資本主義surveillance capitalism」という独自の概念を使って記述している[10]。ズボフによれば、現代社会において、知識と権力と権威は監視資本の上にある。

監視資本とは、インターネット上の人々の行動を監視し、個人情報を収集している資本のことである。ズボフが特に目を向けている監視資本は、フェイスブック、グーグル、マイクロソフトだ。これら監視資本にとって、人間は、そこから利益を得る「自然資源」と変わらない。つまり、かつて資本が自然資源から利益を得たのと同じように、監視資本は、人間から利益を得ている。

どのように利益を得るのか。つまりどこから剰余価値が生まれるのか。その仕組みに、私的所有とコモンズの間の交錯が巧みに活用されている。古典的な資本主義においては、剰余価値は賃労働から発生する。監視資本主義にとっては、剰余価値が発生する主要な場面が別にある。それは「行動的剰余 behavioral surplus」である。ズボフはこの独自に案出した概念を使って説明する。

人は、とりわけインターネット上の行動において、一種の不等価交換に巻き込まれており、自ら「剰余価値」の役割を演じている、というのだ。どういうことか。誰もが、ネットサーフィンをしたり、買い物をしたり、さまざまな動画を見たりして楽しんでいる。こうして人は、インターネットで欲しいものを得る。しかし、実はそのとき、人は得たもの以上のものを監視資本に与えてしまっている。つまり、個人情報を明け渡しているのだ。その行動から、それぞれの個人がどんな生活をしているのか、何を好んでいるのか、等々が、監視資本に知られてしまう。インターネットを使うわれわれは、いわば裸にされているのだ。われわれユーザーが、ネットで得たものの価値より、われわれが与えた個人情報の方が、はるかに価値が高い。ここで剰余価値が生じている。

監視資本主義において剰余価値が発生するこのメカニズムを、次のような比喩で描くことができる。監視資本は、大きな「土地」を所有している。その土地は、監視資本の私有地ということになっているが、ほんとうはすべての人々の共有地である（しかし、そのことは誰も自覚していない）。監視資本は、その「私有地」を、寛大にも、共有地のように開放し、人々に自由に使わせてあげている……という態度をとる。人々は、監視資本のその「善意」に甘え、その土地で自由に遊び、消費する。が、監視資本の方は、実は、その土地を、しっかりと「私有地」として活かしていたのだ。監視資本は、その「私有地」で勝手に遊んでいる人々の行動をつぶさに監視し、データを収集していたのである。ユーザーの方も、自分たちが監視されていることに気づくこともあるが、しかし、「他人の土地」を使わせてもらっているのだから、そのくらいは仕方がないと思って容認してしまう。こうして獲得した個人情報こそ、監視資本にとって利潤の源泉である。

コモンズを偽装して稼ぐ

こうした状況、つまり「行動的剰余」の発生の仕組みをさらに厳密に分析するには、経済学者のジャン・チロル等が創った「両面市場 two-sided market」の概念が便利である。[*11]

両面市場とは、互いに相手の数が多ければ多いほど得をする「間接的ネットワーク効果」がある二種類の市場参加者を、結びつけることから利益を得るビジネスモデルのことである[*12]。説明しよう。

　Ａタイプの市場参加者にとっては、Ｂタイプの市場参加者が多いほど儲かる。Ｂにとってもａが多いほど儲かる。この状況で、ＡタイプとＢタイプを仲介し、出会わせることから利益を得るビジネスを考えてみる。単純にひとつの場を設定し、両者から参加料をとるのが最もシンプルなやり方だ。しかし、Ａタイプの方が相対的に不足していて、集まりにくいと仮定してみよう。このとき、Ａの方の参加料を低くし――ときには無料にして――、Ｂの方からだけ参加料を徴収するのが、両面市場である。Ａタイプの人々は、参加料が格安なので、たくさん集まってくる。Ｂタイプは、Ａタイプの大集合が待っているということに十分に大きな魅力を感じるので、高い参加料を払ってもよいと考える。

　グーグルやアマゾンは、典型的なやり方で両面市場を活用している。われわれは、グーグルの検索をタダで使用する。もし検索のたびに課金されるのだったら、グーグルを使わなかっただろう。ここでわれわれはＡタイプの参加者であり、参加料は無料である。広告を出したい業者Ｂにとっては、検索のユーザーが大量であるということが望ましい。だから、業者Bたちは、グーグルに「参加料」を、つまり一種の「レント（賃料）」を支払って、望ましい場所に広告を出させてもらう。

この両面市場のモデルが興味深いのは、同じサイバースペースが、一方に対しては、共有地（コモンズ）として提供され、他方に対しては、私有地として主張されている、という点である。Aタイプの参加者に対しては、グーグルはこう言う。「ここをあなた方の共有地として提供いたしますから、自由に使ってください[*13]」と。Bタイプに対しては、こう言う。「ここは私の土地ですから、使いたかったら使用料（レント）を支払いなさい」と。グーグルの利潤は、偽装された共有地と私有地のギャップから生まれている。剰余価値は一般に、異なる価値体系の間の差異を媒介することから生まれるのだが、ここでは、異なる価値体系が直接結び付けられている。

要するに、本来、コモンズであるべき文化的産物（一般的知性）、とりわけインターネットに関係したプラットフォームが私的に所有されている。その私的所有の権利を根拠にして徴収される「レント」こそ、グローバル資本主義に固有の、天文学的な数字で表現されるような大きな経済的不平等の最大の原因である。この文化的産物を本来あるべきところに、つまりコモンズのうちに据え直す必要がある。来るべきコミュニズムにとって、絶対に譲れない課題がここにある。

監視国家に抗して

「監視」という話題に及んだ。ここで新型コロナウイルスのパンデミックに深く関連していながら、本書の中でまだ論じていなかった主題を論じておこう。それは、ウイルスへの対抗手段としての、集権的な監視の効果という主題だ。

多くの民主主義国が認めたくない事実、知りたくない事実は、新型コロナウイルスへの対抗という点で、中国が最も優れていた、ということである。確かに、中国は初期対応で誤った。新型のウイルスの存在を察知したとき、ただちにそのことを世界に公表すべきだったが、中国政府はそうしなかったからだ。しかし、その後の対応、すなわち、感染者数の速やかな抑制という点では、中国は、ヨーロッパやアメリカ、そして日本よりもはるかに勝っていた。

それは、中国が非民主的な権威主義国家であり、それゆえに可能だった国民への厳密な監視があったからだ、要するに中国が徹底した監視国家だったからだ。[*14] この回答は、おそらく、まちがいない。中国と似たタイプの監視国家、たとえばベトナム等でも、同じように高い成果があがっているからだ。

だが、この結論は、われわれを不安にさせる。中国のような監視国家でなければ、結局、新しい感染症の広がりには効果的に対応できないのか。民主主義や自由を否定する権威主義的国家が、少なくとも感染症との戦いにおいては最も有利なのか。

この問題に対する私の考えは、すでに別のところで論じているので、ここでは詳しく再論はしない。[*15] 結論だけごく簡単に繰り返しておこう。ウイルスや感染症への対処法として、ＩＴ技術を動員した緻密な監視網の効用は否定しがたい。もし今後も、同じようなウイルス禍が繰り返されるようであれば——現代が人新世であることを思えば、その可能性は高いと考えねばならない——、われわれは、どんなにおぞましさを覚えても、最終的にはそうした監視網を受け入れざるをえなくなるだろう。生命と健康を守るために、そしてそれらと通常の経済活動や社会生活を両立させるために、である。これは悲しい結論に思える。

しかし、ここで考えてみよう。もし個人の行動が監視されていたとしても、そこで得られた個人情報が、本来の目的——たとえば感染症への対策——以外のことに転用されることがなければ、監視はとりたてて困ることではない。そして、個人情報の恣意的な濫用《らんよう》は、民主主義そのものの力によって防止することができる。つまり、民主主義を否定する権威主義的国家でなくては効果的な監視が不可能だ、という命題はまちがっている。逆に、真に有効な監視は、民主主義のもとでこそ可能になる。

ただしこれまでの民主主義ではダメである。民主主義そのものが更新されなくてはならない。どのように？　ＩＴ技術を装備したモニタリング民主主義の制度化、これが私の考えである。「モニタリング民主主義」は、民主主義についての、非常に包括的な歴史を書いたジョン・キーンが導入した用語だ。

キーンは、民主主義と一括して呼ばれているものを、三つのタイプに分類した。集会民主主義、代表民主主義、そしてモニタリング民主主義だ。集会民主主義は、いわゆる直接民主主義を指しており、代表民主主義は間接民主主義である。普通、民主主義とされている制度は、この二つだけだが、キーンは、これらの他にモニタリング民主主義がある、とする。モニタリング民主主義とは、市民が政治権力の活動をモニターする政治活動だ。三つの民主主義の間に系譜関係はなく、キーンによれば、それぞれは完全に独立に発生した。「民主主義」は西洋（古代ギリシアやイングランド）と関係づけて論じられる場合が多いが、実際に西洋に起源があるのは、代表民主主義のみである。[*16]

モニタリング民主主義は三つの中ではずばぬけて新しいが、オンブズマン制度など、すでに存在し、機能している。とはいえ、モニタリング民主主義は、集会民主主義や代表民主主義に対する補助的な装置と見なされてきたことも確かである。私の提案は、ＩＴ技術をも動員し、モニタリング民主主義を政治の中心に置くことである。モニタリング民主主義によって、監視そのものを監視し、その逸脱や濫用を抑止するのだ。そうすれば、効果的な監視と民主主義や自由とをともに確保することができるだろう。

　直感的なイメージを与えるならば、ここで提案しているモニタリング民主主義とは、合法化されたウィキリークスである。さらに、こう言ってもよいだろう。モニタリング民主主義とは、民主主義が民主主義であるかをたえずモニターするメタ民主主義である、と。それは、民主主義が、権威主義や全体主義へと変質することを抑止するための決定的な装置である[*17]。

権威主義的資本主義

　中国的な権威主義的体制ということに関連して、別の論点を付け加えておきたい。

　長い間――少なくとも二〇世紀の間は――、民主主義と資本主義は車の両輪のような関係にある、というのが、政治家にとっても、また社会科学者にとっても常識であった。まともな民主主義体制のもとでしか、資本主義は成功しないと考えられていたのだ。ところが、二一世紀に入ってから、「改革開放」を唱える中国が、非民主的な権威主義体制を維持したまま、資本主義としても圧倒的な成長を遂げているように見える。「社会主義」を看板に掲げている中国こそ、現在、資本主義の最大の優等生である。コロナ対策でも中国は優等生だったわけだが、もっと広く長いコンテクストの中でも、中国はこのところ卓越した成績をあげていたのだ。

　そうだとすると、民主主義などなくても資本主義は成功するのだろうか。それとも、中国の成功は一時的なもので、やがて失速するのだろうか。中国のような権威主義的な――いわばアジア的専制のもとでの――資本主義の成功は、資本主義の支持者たちを不安にさせている。資本主義を正当化するうえでの根拠のひとつが、資本主義が民主主義と親和的な唯一の経済システムだというものだったからだ。民主主義などなくても、いや民主主義を蹂躙《じゅうりん》した方が、資本主義にとって有利だとしたらどうするのか。

　この問題に対してここで、簡潔な答えを与えておこう。直接的で粗暴な権威と資本主義との結びつきは、たまたま中国が――かつては資本主義の外部にいた中国が――台頭してきた、ということに関連する現象ではない。そうではなく、現在のグローバル化した資本主義そのものが、強い権威を求めているのだ。権威主義は資本主義の外にあったわけではない。資本主義は今、自ら、内在的に、他の何ものにも根拠づけられてはいない直接の権威を求めているのである。資本主義は自分で民主主義との親密な関係を断ち、ひそかに権威主義と結託しようとしているのだ。どういう趣旨なのか。説明が必要だろう。

コモンズに言及しながら先に述べたこと、すなわち現代の資本主義において、搾取の最大の武器は、サイバースペース上のプラットフォームやコミュニケーション手段の上に設定された私的所有権にあるという事実と関係している。

この私的所有権は、ヴァーチャルな空間の上での、純粋に法的な擬制である。物理的な対象に対する所有権であれば、それを誰かが実際に使用しているとか、それを誰かが占拠しているとか、といった法以前的な自然の事実によってある程度は支持されている。しかし、ヴァーチャルな空間の私的所有権は、いかなる自然の事実によっても守られてはいない、まったく恣意的で作為的な設定だ。それは、正統なものとして受け入れられている法によって守られなければ、無に等しい。そうであるとすれば、サイバースペース上の私的所有権を活用して利益を得ている監視資本は、そうした法をインターネット上のすべての参加者に強制できる直接的な権威を——つまり強い国家権力を——どうしても必要とする。

このように――そして「レント資本主義」という概念で現代の資本主義を分析している論者たちが主張してきたことでもあるのだが――、今や、最も有力な資本こそ、強い権威を必要としている。だが、ドゥルーズとガタリは、資本主義のノマド的で脱属領化するダイナミズムを強調していた。資本主義は本質的に反国家的である、と。現状を見れば、この認定は確かに、一定の真実をついている。現在のグローバル資本や多国籍企業は、かつての――二〇世紀半ばまでの――大資本とは異なり、ナショナリスティックな忠誠心を強くはもってはいない[*18]。資本主義に、反国家的な側面があることはまちがいない。しかし同時に、グローバル資本や多国籍企業は、純粋にプラクティカルな理由によって、強力な国家を必要とし、最終的にはその権威に頼っている。今日、国家からの脱属領化的な離脱と国家の権威への依存がともに強くなっているのだ。

いや、そんなことはない、国家とその法は、ＧＡＦＡやマイクロソフトの横暴に対抗しようとしているではないか、という反論もあるかもしれない。確かに、これらの企業は、反トラスト法（独占禁止法）の疑いで、アメリカ政府によって提訴されたりしている。だが、結論を言えば、こうした国家の側からの反撃はたいした効果をもたないだろう。ＧＡＦＡ

たちは、小さなダメージしか受けない。なぜなら、彼らを責める政府の側も、私的所有権を攻撃するつもりはないからだ。それどころか、反トラスト法等は、私的所有権を保護するためにこそある。そうだとすれば、GAFAやマイクロソフトは、最終的には安泰だ。サイバースペースの中で恣意的に私的所有の権利を主張できるという設定さえあれば、彼らは搾取するのに困らない。当人たちの意識とは逆に、GAFAなど監視資本とアメリカ政府とは対立してはいない。むしろ、政府は監視資本の大いなる味方である。

このように、現代のグローバル資本主義は、権威へと直結しようとする内在的な傾向をもっている。こうした非民主的な権威からわれわれを解放する手段はひとつしかない。サイバースペースをコモンズとすること、これだけである。

3 資本主義に内在するコミュニズム

傾向的法則の含意

来るべきコミュニズムは、少なくとも三つの領域でコモンズを確立しなくてはならない。

だが、コロナ禍を経験するだけで、一挙に、そのようなコミュニズムがもたらされるわけではあるまい。また、そんな急激な変化は望ましくもない。当然のことながら、地球上の大半の人間の生活の基盤をうち壊すべきではないし、そのような激変は支持もされないだろう。コミュニズムへの変化は、漸進的で慎重であるべきだ。

　では、どのようにしてコミュニズムへの移行が果たされるのだろうか。予想できることは、あまり楽しいことではない。現在のコロナ禍のような、あるいはそれを上回る破局的な危機が、これから何度も繰り返し襲ってくる。その反復を通じて、人類社会は、危機に対応する。そうして、コミュニズムへと、しかも世界共和国の広がりの中のコミュニズムへ漸近していく……。

　資本主義がその内部から限界に達し、コミュニズムへと徐々に近づいていく、このダイナミズムは、マルクスが言う「傾向的法則」なるものを想起させる。総資本の循環によって生ずる利潤率が少しずつ低下し、資本主義が徐々に限界に近づいていくことを意味する「利潤率の傾向的低下の法則」だ。これは、資本主義が、それ自身の原理を通じて内側から破綻へと向かうことを含意する法則だ。

　ここでまず注目したいのは、利潤率云々より前に、「傾向的法則law of tendency」という部分である。マルクス主義系の哲学者エマニュエル・ルノーが、そしてこれを受けてスラヴォイ・ジジェクが、「傾向的法則」という概念にマルクスが込めている特殊な含みに注目している。[*19] これは、単純な「趨勢《すうせい》（トレンド）」とは似て非なるものである、と。[*20] 両者はどう違うのか。傾向的法則を説明するなかで、マルクスは「闘争」という語を用いている。傾向的法則は、ただの客観的な趨勢とは違って、その法則の影響を受けている当事者たちの間の闘争を内在させているのだ。どのような趣旨か、説明しよう。

「利潤率の傾向的低下の法則」とは何か

利潤率とは、投下した資本に対する剰余価値（≒利潤）の比率である。資本家は、資本を使って生産手段や原材料や労働力を購買し、投下した資本以上のものを回収しなくてはならない。そのとき増殖した価値が剰余価値だ。

ところで投下する資本は、大きく二種類に分けることができる。可変資本と不変資本である。可変資本とは、労働力の購買に使われる資本であり、不変資本は、それ以外のもの（生産手段や原材料）の購買に使われる資本だ。なぜ労働力の購買に充当された資本が「可変」と見なされるかというと、マルクスの考えでは、剰余価値は労働力から生まれるからである。つまり労働力を購買するために使われた資本は、増殖する（変化する）のである。それに対して、他の物を入手するための資本は、生産過程でその価値を生産物の方に移転するだけであって、価値を変えない。利潤率をr、不変資本をC、可変資本をV、そして剰余価値をMとすると、利潤率は、次のような簡単な分数で表すことができる。

$$r = \frac{M}{C+V} \quad \cdots\cdots\cdots ①$$

得られた剰余価値は、再び投資される。つまり剰余価値Mは、あらためて不変資本Cと可変資本Vに振り分けられ、使われる。ところで、資本家たちは利潤を得るための競争の中にある。すると資本家は、新たな投資においては、可変資本Vよりも不変資本Cに多くを配分する傾向がある。資本家は、競争に勝つために、労働の生産性を高めたいからだ。労働の生産性を高めるためには、たとえば、労働力をより高度な生産手段（最新の機械等々）と結びつければよい。すると、高価な生産手段を手に入れるために、不変資本Cが大きくなる。要するに、不変資本Cの可変資本Vに対する比率（C/V）は大きくなる傾向がある。これを「資本の有機的構成（C/V）の高度化」と呼ぶ。

不変資本を増やし、可変資本を減らすことは、個別の資本には勝利をもたらす。しかし、ひとつの経済全体の資本、つまり総資本の立場で見ると、資本の有機的構成の高度化は、利潤率の低下につながる。これは、直感的にも明らかだろう。利潤（＝剰余価値）の源泉となる可変資本の比率が低下しているからだ。さらに、①の右辺の分母・分子をＶで割れば、より厳密に同じことが確認される。

$$r = \frac{\frac{M}{V}}{\frac{C}{V}+1} \quad \cdots\cdots\cdots ②$$

右辺の分子、可変資本Ｖに対する剰余価値Ｍの比率、つまり剰余価値率Ｍ／Ｖは、資本家による労働者の搾取率を表している。Ｖは、労働者に支払われる賃金、Ｍは、労働力によってもたらされた価値の中で資本家が自分のものにしてしまった分だと考えればよい。いま剰余価値率（搾取率）Ｍ／Ｖを一定としておこう。すると、資本の有機的構成Ｃ／Ｖが高度化すると（大きくなると）、右辺の分母が大きくなり、結局、利潤率ｒが小さくなる。これが利潤率の傾向的低下の法則と呼ばれるものである。

もし利潤率がゼロになってしまえば、資本主義は成り立たない。したがって、利潤率の傾向的低下の法則は、資本主義は、その破綻へと徐々に向かっているということを示している。言い換えれば、資本主義は、その内部から、自らの外部へと出て行こうとするダイナミズムが働いているということになる。

闘争としてのコミュニズム

以上は、マルクス経済学のどんな教科書にも書いてあることだ。われわれが気づかねばならないことはその先にある。法則がどのように働くかをよく見れば次のことがわかる。利潤率が低下するかどうか、またどの程度低下するのかということは、すべて、階級闘争に依存している、と。資本家の方は、労働者の搾取率を高めようとしている（可変資本Vを減らそうとしている）。しかし、この搾取強化に労働者は抵抗する。労働者の抵抗にあえば、資本家はますます、労働生産性をあげようと、不変資本への投資分を増やそうとする。……と続く闘争の結果として、利潤率が低下する傾向がある、というわけだ。

この法則が――必然的な因果関係を指定しているわけではなく――傾向的なものにならざるをえないのは、闘争においてどちらが（どの程度）勝つのかは、あらかじめ決まってはいないからだ。勝負の帰《き》趨《すう》によっては、利潤率は下がったり、下がらなかったりする。さらに利潤率は、勝負の動向を示す指標にすぎず、この闘争の結果は、社会的コンテクスト全体の中で考えなくてはならない。一九世紀と比べたときの労働条件の大幅な改善とか、福祉国家の実現とかは、労働者側が一定程度の勝利をおさめ、資本家から相当な譲歩を引き出した結果である。

利潤率の傾向的低下の法則が成り立つかどうかということについては、長い論争がある。が、それは、枝葉末節のことである。この法則の定式化を通じて示されていることは、資本主義には、結果的にコミュニズムへと結びつく力と資本主義の内部にとどまろうとする力との間の闘争が内在している、ということである。いや、厳密には、この闘争から独立には、コミュニズムなるものは存在しない、と言うべきであろう。つまり、この資本主義に内在している闘争が、すでにコミュニズムである。

闘争は一回で終わるわけではなく、不断に反復される。その反復的な闘争において、コミュニズムへと結びつきうる勢力が勝利する、とはどういうことを意味するのか。ここは、第2章の最後に述べたことを思い起こすところである。資本主義を構成する二種類の時間——直線の時間と円環の時間——の他に第三の時間がある、と述べた。第三の時間とは、真に新しいことの始まりとしての「今」のことだ。

ヴァルター・ベンヤミンの歴史哲学に「今のとき」というふしぎな概念がある。[*21] それは、この第三の時間と同じものであろう。第三の時間を定義する「真に新しいこと」とは、既存の枠組み（資本主義）を前提にしたときにはとうてい不可能なこと、という意味だ。反復的な闘争の中で、コミュニズムに向かいうる側の勝利とは、この第三の時間の露呈である。つまり、不可能なことの生起だ。

では、どのようなときに、第三の時間は出現するのか。それは、現在のわれわれが〈未来の他者〉の呼びかけに応じたとき、〈未来の他者〉と連帯したときではないか。第3章の結末で述べたような意味での（広義の）プロレタリアートが、〈未来の他者〉を代表する者として自らを認識し、〈未来の他者〉との連帯を自覚するならば——そのような認識と自覚のもとで、述べてきたような闘争に参加するならば——、そのとき、第三の時間が現れるだろう。逆に言えば、〈未来の他者〉の呼びかけを自覚できないときには、闘争は不毛なものに終わる。現代世代の範囲の「われわれ」は、資本主義への執着を離れることはできず、闘争は資本主義の枠内での利害の調整の域を超えられないからである。

ならば、現在のわれわれは、〈未来の他者〉の呼びかけを聞くことができるのか。〈未来の他者〉が現在のわれわれのもとへとやってくるのを実感することは可能なのか。可能である。「絶対知」についての理論が、そのような肯定的な答えを含意している。

　コロナ危機において、そしてこれからも繰り返される破滅的な危機において、現在のわれわれが〈未来の他者〉とともに闘うならば、そのたびに、不可能だったことが少しずつ可能なこととして獲得されていくだろう。つまり「真に新しいこと」が実現されていく。その漸進的な歩みの先が、来るべきコミュニズム、新世紀のコミュニズムである。

＊1　http://bostonreview.net/philosophy-religion/carmen-lea-dege-2020s-existentialist-turn

＊2　フロイトの無意識のこのきわめて簡潔な定義については、以下を参照。マリー・バルマリ『彫像の男――フロイトと父の隠された過ち』岩崎浩訳、哲学書房、一九八八年。

＊3　この他者は、私たち“us”にとっての第三者の審級である。「第三者の審級」は大澤の用語。

＊4　哲学に興味ある人のために記しておく。ハイデガーの言う「放下《ほうげ》Gelassenheit」は、このような状態のことだと解釈できるのではないか。

＊5　この両義的な様相に対応する文法用語が中動態middle voiceである。國分功一郎『中動態の世界――意志と責任の考古学』医学書院、二〇一七年。

*6 ユヴァル・ノア・ハラリ『ホモ・デウス――テクノロジーとサピエンスの未来』上・下、柴田裕之訳、河出書房新社、二〇一八年。

*7 トマ・ピケティ『21世紀の資本』山形浩生他訳、みすず書房、二〇一四年。

*8 https://www.bloomberg.co.jp/news/articles/2020-10-09/QHVUFZDWRGGC01

*9 アメリカの「中流」とされる九六〇〇万人の層の平均の年収は、七万五〇〇〇ドルである。これだって、日本のサラリーマンの収入の一・七倍にもなるので、地球全体で見れば、かなり裕福な方に入る。

*10 Shoshana Zuboff, *The Age of Surveillance Capitalism: The Fight for a Human Future at the New Frontier of Power*, New York: Public Affairs, 2019.

*11 この概念の意義を私は、行動経済学者の依田高典から学んだ。

*12 「ネットワーク効果」（「ネットワーク外部性」ともいう）は、経済学の用語である。製品やサーヴィスの利用者数が多くなるほど、その製品やサーヴィスの価値が高くなるとき、ネットワーク効果がある、という。このケースでは、二つの市場があって、一方の市場の規模の大きさが他方の市場の規模の大きさに影響し、そのことがひるがえって、前者の市場で提供されている製品・サーヴィスの価値を高めているので、間接的ネットワーク効果の一例ということになる。

*13 ここには二重の欺瞞がある。本来的に共有地であるべきところを、わざわざ「共有地」として提供することで、「ほんとうは私有地である」という設定を生み出しているのだ。自分自身の顔の仮面を被ることが、自分自身を隠す最も効果的な方法である。共有地としてあえて提示することが、ほんと

うは共有地であることを隠蔽する最も確実な方法だ。

*14 監視国家としての中国については、以下を参照。梶谷懐・高口康太『幸福な監視国家・中国』ＮＨＫ出版新書、二〇一九年。

*15 大澤真幸「ポストコロナの神的暴力」『Thinking「O」』16号、二〇二〇年。

*16 ジョン・キーン『デモクラシーの生と死』上・下、森本醇訳、みすず書房、二〇一三年。

*17 モニタリング民主主義の社会哲学的な意味は、ヴァルター・ベンヤミンの概念を用いて説明することができる、というのが私の考えである。モニタリング民主主義は、神的暴力のひとつの具体化である、と（大澤真幸、前掲論文）。権力と政治的支配の構造の創造と維持に与っている神話的暴力――法措定的暴力と法維持的暴力――に対して、ベンヤミンは、神的暴力を対置した（ヴァルター・ベンヤミン『暴力批判論 他十篇』野村修編訳、岩波文庫、一九九四年）。モニタリング民主主義は、さまざまに可能な神的暴力のあり方のひとつと見なすことができる。

*18 大澤真幸『ナショナリズムの由来』講談社、二〇〇七年。

*19 Emmanuel Renault, "Critical Theory and Processual Social Ontology", *Journal of Social Ontology*, Vol.2, Issue 1, Jan. 2016. Slavoj Žižek, "We need a Socialist Reset, Not a Corporate 'Great Reset'", *Jacobin*, Dec. 2020.

*20 ルノーによると、このことに最初に着眼したのはアドルノである。

*21 ヴァルター・ベンヤミン『歴史の概念について』鹿島徹訳・評注、未來社、二〇一五年。

あとがき

私たちは未だ新型コロナウイルスのパンデミックの渦中にいる。本書はだから、当然、渦中で考えたことである。

黄昏に飛び立つミネルヴァの梟《ふくろう》に喩えられるように、知は出来事が終わった後にやってくると言われる。つまり、事がらが何であるかということは、終わってからでなければ分からないとされる。確かに、私は、本書を、このパンデミックがいつ終わるかも知らずに書いている。

しかし逆に、渦中でなければ感じたり、考えたりできないこともある。そして何より、渦中でこそ考えるべきことがある。終わってしまってからでは、見えなくなるものもある。だから本書を書いた。

出来事から意味ある教訓を得るうえで、貫くべき方針がある。その出来事を、特殊な部分問題とは捉えず、常に「何かそれ以上のもの」を目標とすべきなのだ。私たちが、その出来事に衝撃を受け、そこに歴史的な転換点のようなものを直観するときには、出来事に、「そのこと」に尽きない意味、ある特定の問題には還元し尽くせないものを感じているからである。

　コロナ禍は当然、まずは「健康」への脅威である。私たちはすぐに、それは「経済」の問題でもあることにも気づく。健康と経済とをともに確保することが不可能であることが明らかになると、コロナ禍は、私たちの経済の仕組みや社会構造に根本的な弱点があることを示す〈しるし〉のようなものであると分かってくる。とすれば、コロナ禍は、経済や社会の構造をどのように定めるかという問題、つまり最も強い意味での「政治」の問題でもある。さらには、コロナ禍の中では、私たちは、仕事の意味、生命の価値、自由な主体としての尊厳等々に結びついた「実存的な問い」をも突きつけられる。……

　こうして、ひとつの出来事が、私たちの生と社会の全体の問題を圧縮して表現する隠喩となる。

＊

本書は、二〇二〇年八月から一一月にかけて、ＮＨＫ出版のウェブマガジン『本がひらく』で六回にわたって連載した「真に新しい〈始まり〉のために」を再編し、加筆修正したものである。最後の第五章は、連載にはなかった書き下ろしである。

連載時も、また本書の制作においても、大場旦さんに編集の任にあたっていただいた。思えば、およそ二〇年前に九・一一同時多発テロの思想的意味について書いたときにも、大場さんが伴走者だった。それ以来、大場さんとはいくつもの仕事をしてきた。いつもながら、大場さんのきめ細かなアドバイスに助けられた。大場さんに心よりお礼を申し上げたい。

二〇二一年三月

大澤真幸

校閲　大河原晶子
撮影　尾崎　誠
DTP　角谷　剛

大澤真幸 おおさわ・まさち

1958年、長野県生まれ。社会学者。
東京大学大学院社会学研究科博士課程修了。専攻は理論社会学。
思想誌『THINKING「O」』(左右社)主宰。
著書に『ナショナリズムの由来』『〈世界史〉の哲学』(講談社)、
『社会学史』(講談社現代新書)、『自由という牢獄』(岩波書店)、
『〈自由〉の条件』(講談社文芸文庫)、
『「正義」を考える』(NHK出版新書)など。
共著に『ふしぎなキリスト教』(講談社現代新書)、
『資本主義という謎』『憲法の条件』(NHK出版新書)など。

NHK出版新書 652

新世紀のコミュニズムへ
資本主義の内からの脱出

2021年4月10日　第1刷発行

著者　大澤真幸　

発行者　森永公紀

発行所　NHK出版
〒150-8081 東京都渋谷区宇田川町41-1
電話 (0570) 009-321(問い合わせ) (0570) 000-321(注文)
https://www.nhk-book.co.jp (ホームページ)
振替 00110-1-49701

ブックデザイン　albireo

印刷　新藤慶昌堂・近代美術

製本　藤田製本

Printed in Japan ISBN978-4-14-088652-6 C0210